Verbum ✳ ENSAYO

SOCIEDAD CIVIL Y ARTE EN CUBA:
CUENTO Y ARTES PLÁSTICAS EN EL CAMBIO
DE SIGLO (1980-2000)

 ENSAYO

Directores de la colección:
JOSÉ MANUEL LÓPEZ DE ABIADA
PÍO E. SERRANO

ANA BELÉN MARTÍN SEVILLANO

Sociedad civil y arte en Cuba: Cuento y artes plásticas en el cambio de siglo (1980-2000)

EDITORIAL Verbum

© Ana Belén Martín Sevillano, 2008
© Editorial Verbum, S.L., 2008
Eguilaz, 6-2º Dcha. 28010 Madrid
Apartado Postal 10.084. 28080 Madrid
Teléf.: 91 446 88 41 - Telefax: 91 594 45 59
e-mail: verbum@verbumeditorial.com
www.verbumeditorial.com
I.S.B.N.: 978-84-7962-419-4
Depósito Legal: SE-1530-2008 Unión Europea
Diseño de cubierta: Pérez Fabo
Ilustración de cubierta: © Pedro Álvarez,
sin título, de la serie: "El fin de la historia" (1995)
Fotocomposición: Origen Gráfico, S.L.
Printed in Spain /Impreso en España por
PUBLIDISA

ÍNDICE

ÍNDICE DE ILUSTRACIONES

El copyright de las obras artísticas reproducidas le pertenece a sus respectivos autores o a sus herederos, de quienes se ha obtenido el oportuno permiso para poder presentarlas en este libro.

1. Introducción

En el campo de los estudios culturales latinoamericanos encontramos un pequeño número de países que, por motivos muy diversos, suscitan una mayor atención. Las particulares características del sistema político cubano desde 1959, así como la importancia de la comunidad cubana en el exilio, grupo clave en el campo político estadounidense, han hecho de Cuba objetivo permanente de la investigación académica. De ahí que resulte preciso argumentar aquí las razones que hacen de éste un ensayo de interés a la hora de dilucidar aspectos sociales y culturales que conforman la historia más reciente del país. Estas páginas se han escrito intentando dejar a un lado las diatribas políticas que sostienen un hacha de dos filos sobre la isla e intentando escapar a cualquier base ideológica excluyente. Su objetivo es dar cuenta del notable proceso cultural acontecido en Cuba entre los años 1980 y 2000 aproximadamente. Parece que hoy, con unos años de distancia y con gran parte de sus artífices en la diáspora, tenemos una visión más compleja de la singular importancia que alcanza la producción artística y literaria cubana de ese momento, destacándose no sólo la alta calidad de las obras, sino también su proyección como actividad civil. Este ensayo es un análisis descriptivo que sitúa esa producción artística en su contexto social, político e histórico, analizando obras plásticas y cuento, y describiendo al tiempo su posición y la de sus autores dentro de la esfera pública. La base del trabajo se encuentra en la tesis doctoral que presenté en la Universidad Complutense de Madrid en el verano del año 2002, aunque el presente volumen presenta sustanciales modificaciones. Por un lado, se han eliminado, o evitado en la medida de lo posible, aspectos metodológicos que si bien necesarios en el plano académico pudieran aquí restar fluidez a la lectura que pretende ser sobre todo informativa. Por otro, la mayor distancia temporal, que en un fenómeno tan reciente resulta clave, ha permitido contar con una mayor profundidad a la hora de reflexionar sobre las diversas dimensiones del proceso y, asimismo, con una selección actualizada de obras de referencia.

La hipótesis de la que se parte es que, a mediados de los años ochenta, el campo artístico cubano sufrió un reajuste en la organización de sus fuerzas debido a la aparición de una nueva generación que alteró y reordenó los espacios y tomas de posición establecidos por la generación precedente, entonces en el poder[1]. La producción de esta generación presenta una alta calidad artística que la ha situado entre la más relevante del panorama latinoamericano, tanto por su dimensión estética como social. El fenómeno progresivamente se diluye cuando a finales de la década de los noventa la mayoría de los artistas y escritores optan por el exilio, modificando cualitativamente la textura de la diáspora y abriendo una nueva etapa de la cultura cubana, objeto de un diferente estudio del que aquí nos proponemos.

Los autores que llevan a cabo este proceso nacieron después de 1959 y, por lo tanto, fueron formados dentro de los principios instituidos por la Revolución. En los ochenta, cuando alcanzan su mayoría de edad, se creen facultados para contribuir activamente al cambio y mejora del sistema que los ha formado. Sus modos de obrar parten de la necesidad de crear foros públicos de discusión y opinión a través de la obra de arte y literaria. El hecho artístico se presenta como una alternativa civil ante la ausencia de organismos o asociaciones autónomas e independientes del estado que den cauce expresivo a las diferentes comunidades, sujetos, identidades y posicionamientos sociales.

En este sentido es fundamental aclarar el complejo y oscuro concepto de sociedad civil, que tanta literatura viene generando en el ámbito universitario occidental con el objetivo de dilucidar sus implicaciones, así como su articulación en las sociedades democráticas. La idea decimonónica y burguesa de sociedad civil se recupera en la segunda mitad del siglo XX en áreas geográficas, como Europa del Este o América del Sur, cuyos sistemas políticos autoritarios y dictatoriales, excluían la posibilidad del "otro" fuera del estado y de su discurso ideológico

---

[1] La metodología utilizada en la elaboración inicial de este estudio se sirvió de la teoría cultural de Pierre Bourdieu por lo que su terminología (campo de fuerzas, toma de posición, *habitus*, etc.) aparecerá con frecuencia. Las tomas de posiciones aluden tanto a las obras culturales producidas como a las actividades públicas de sus autores; el campo de posiciones abarca al campo cultural en su relación con el político, así como a las diferentes áreas creativas (literatura, artes plásticas,...) agrupadas en torno a sus propias instituciones y con reglas específicas.

(Ehrenberg, 1999). El término empieza a aplicarse entonces para discernir la existencia de agentes sociales ajenos al cuerpo estatal y político, y ajenos también al mercado, pues son organizaciones no lucrativas. Estos agentes autónomos e independientes se articulan en múltiples colectivos orientados a cooperar de manera crítica con el estado, tejiendo una estructura que vendría a ser la sociedad civil, o la esfera pública en la terminología habermasiana. Precisamente Habermas (1989) da una de las claves a la hora de entender el concepto: la necesaria libertad de opinión y ausencia de ningún tipo de coerción que debe disfrutar el ciudadano a la hora de pronunciarse sobre temas de interés público. Partiendo de Habermas, Jean Cohen y Andrew Arato entienden en su hoy ya clásico trabajo *Civil Society and Political Theory*, que la sociedad civil consta tanto de una esfera pública como de una privada, es decir, de instituciones, por un lado, y de asociaciones y movimientos, por otro. Todos ellos establecen vínculos con el estado y con el mercado, pero mientras las instituciones garantizan los derechos ciudadanos y facilitan su intervención en el sistema, las asociaciones y los movimientos promueven cambios para mejorar y ampliar el conjunto de esos derechos. El hecho de que en la sociedad civil se dé cabida a múltiples y disímiles actores sociales con intereses o presupuestos muy diversos hace que ésta carezca de homogeneidad (Olvera, 2003), y sea un ente múltiple, con diferentes dimensiones y espacios en los que, a su vez, coexisten una pluralidad de grupos y conflictos, muchos en directa oposición, lo que produce un complejo sistema de fuerzas. La existencia de la sociedad civil implica entonces una tolerancia generalizada en el cuerpo social que permite la discusión de conflictos y su resolución en diferentes espacios.

En los momentos de lucha contra estados totalitarios el concepto ha sido utilizado de manera casi simbólica para denominar diversas actividades de oposición y de lucha por libertades y derechos. Astutamente, el neoliberalismo ha recogido ese uso para implantarse en países en los que la ausencia de libertades ha fomentado una concepción idealista de la democracia. Bajo el rótulo de sociedad civil y democratización se agazapan intereses económicos que ignoran la equidad que escapa al orden de pérdidas y beneficios. Por lo tanto, la oscuridad del concepto radica en que es usado tanto por la derecha como por la izquierda con fines instrumentales diversos y antagónicos. Conscientes, como hemos dicho, de la complejidad y oscuridad del término, aquí recogemos el uso que la izquierda le ha dado en su lucha contra el autoritarismo: la sociedad civil como una red pública de vías de libre expresión y de espacios de representación.

Acercándonos al tema de nuestro estudio, el carácter totalitario del régimen cubano, expresado en diferente grado y forma desde los años sesenta, abre un serio interrogante sobre la capacidad representativa de sus órganos, sobre el grado y calidad de la tolerancia institucional y sobre el reconocimiento de la libertad y el derecho de asociación y expresión. Sin embargo, hoy día, gracias a la lucha por la construcción de espacios públicos de representación protagonizada por escritores y artistas en los años ochenta, acompañada y seguida por la de otros agentes, se ha logrado dar forma a un estado de emergente sociedad civil que cuenta, entre otras, con diversas asociaciones totalmente independientes del estado. A la Iglesia Católica, la organización independiente de mayor fuerza, se unen otras de carácter religioso y algunas que centran su actividad en el cambio político, tal es el caso de la Asamblea para Promover la Sociedad Civil en Cuba. En su mayor parte estas organizaciones independientes y con carácter político no están legalizadas, y debido a su actividad de oposición al régimen sufren frecuente coerción. En un análisis pormenorizado de la sociedad civil cubana, Damián J. Fernández (2000) considera que parte de esta "proto-sociedad civil" son también las asociaciones gubernamentales tradicionales[2] y las organizaciones no gubernamentales legales, es decir, paraestatales[3]. A esto se añade la incipiente, aunque controlada, apertura al mercado y el operativo sistema económico subterráneo e informal que durante los últimos quince años ha abierto considerablemente las estrechas posibilidades ofrecidas por el abastecimiento estatal. Todos estos actores sociales han encaminado su actividad (artística, intelectual, política o profesional) hacia la creación de una esfera pública donde se manifiesten plurales concepciones políticas, sociales, de género, económicas y culturales, es decir, una sociedad civil que pavimente el camino hacia la democrati-

---

[2] A pesar de que inicialmente estas asociaciones se crearan con el fin de promover la participación para contribuir a la transformación de la sociedad (Domínguez, 1978; Rafael Hernández, 1999), la mayoría acabaron sirviéndole al estado para ejercer su control.

[3] Estas asociaciones muestran diverso grado de independencia, para más detalle consúltese Damián J. Fernández, 2000; Gillian Gunn, 1995; y Douglas Friedman, 2005.

zación. A pesar de su carácter incipiente y de su reciente formación, Cuba cuenta hoy con una sociedad civil articulada. En los últimos años el aún limitado acceso a internet se ha traducido en interesantes debates de trascendencia civil, fenómeno hasta hace poco desconocido en la esfera civil cubana. Como en muchos otros países de Latino América los mayores obstáculos a los que debe hacer frente el desarrollo civil son la escasez de recursos y la dificultad operativa, dificultades que afectan al grueso de la población cotidianamente (López, 2001; Pérez, 2006).

En ese proceso de apertura de espacios públicos, los pioneros fueron los artistas plásticos que entraron en escena durante los primeros años ochenta, y que son seguidos de cerca por una nueva y paralela generación de escritores. Con el uso instrumental de la obra de arte, se abren espacios de opinión en el arte y la literatura que dan voz a agentes sociales excluidos por el sistema revolucionario. Evidentemente se establece una posición política crítica, pues las obras están cargadas de contenido social y los creadores adoptan posicionamientos públicos, organizan grupos de protesta, forman alianzas y mantienen un diálogo tenso con las autoridades. Los artistas plásticos aparecen diferenciados en dos hornadas, una situada a principios de los años ochenta y otra, coincidiendo con los escritores, a finales. La directa y rápida recepción de la pintura hizo de este género el espacio idóneo para establecer un intento de diálogo con los órganos de poder y con el colectivo social. Hoy día se puede hablar de un importante número de autores, la mayoría exiliados, que cuenta con una trayectoria sólida y con obra expuesta en museos y centro internacionales. Algunos de los nombres más relevantes son José Bedia, Carlos Alberto Estévez, Elso Padilla, Marta María Pérez Bravo, Sandra Ramos y José Ángel Toirac.

Los escritores y sus primeras obras aparecen entre 1985 y 1990, y reciben el nombre de Novísimos, que aquí utilizaremos para denominar a todos los autores, tanto escritores como artistas plásticos. El género más cultivado es el cuento ya que gracias a su brevedad presenta un formato que lo asemeja a la obra plástica en cuanto a su producción y recepción[4]. En términos de establecer un espacio discursivo en el que

---

[4] La relación entre las artes plásticas y la cuentística cubanas de este momento la esbozó Ronaldo Menéndez en un trabajo inicial que fue su tesina de Licenciatura, *De la plástica al cuento: interdefinición para una teoría de los campos*, presentado en la Facultad de Arte de La Habana en 1995 e inédito. El trabajo fue dirigido por el Dr. Salvador

tratar aspectos políticos e históricos o cuestiones y problemas sociales, el cuento permite el dibujo de tramas y personajes sin ser demasiado extenso, lo cual facilita una eficiente difusión y recepción. Bajtín entendía que una determinada época, en virtud de sus conflictos, necesidades e intereses, produce un determinado tipo de composición, de estilo y de contenidos que están inseparablemente ligados y conforman la producción comunicativa de un grupo social estando, al mismo tiempo, condicionados por "la específica naturaleza de una particular esfera de comunicación" (1986:60). De ahí se sigue que en los últimos años del siglo XX en Cuba, se da una relación indisociable entre el cuento y la obra plástica, por un lado, y entre las necesidades comunicativas de los autores y el sistema social al que pertenecen, por otro.

La mayoría de los escritores se dedica por entero al cuento durante los primeros años, publicándolos en antologías de grupo o en colecciones individuales. A mediados de los noventa, una vez situados en el campo literario y artístico cubano o de la diáspora, y establecido ya su vínculo con editoriales, algunos de los narradores entran en el terreno de la novela. Su obra no tardó en cobrar importancia internacional y, como muestra, sirva adelantar aquí algunas de las obras publicadas en España en los últimos años: las antologías *Nuevos narradores cubanos*, *Para el siglo que viene: (post)novísimos narradores cubanos* y *Cuentos desde La Habana*, los volúmenes individuales *Cuentos frígidos* de Pedro de Jesús López, *El derecho al pataleo de los ahorcados* y *De modo que esto es la muerte* de Ronaldo Menéndez, *Lágrimas de cocodrilo* de Enrique del Risco, *Trilogía sucia de La Habana* de Pedro J. Gutiérrez, *El horizonte y otros regresos* de Abilio Estévez e *Historias de Olmo* de Rolando Sánchez Mejías; y las novelas *Todos los buitres y el tigre* de Jorge Luis Arzola, *Naturaleza muerta con abejas* de Atilio Caballero, *Tuyo es el reino* y *Los palacios distantes* de Abilio Estévez, *El rey de La Habana*, *Animal tropical*, *El insaciable hombre araña*, *Carne de perro*, *El nido de la serpiente* y *Nuestro GG en La Habana* de Pedro J. Gutiérrez, *La piel de Inesa* y *Las bestias* de Ronaldo Menéndez, *Silencios* de Karla Suárez, *Livadia* de José Manuel Prieto, *El pájaro: pincel y tinta china* y *Cien botellas en una pared* de Ena Lucía Portela, y *Cuaderno de Feldafing* de Rolando Sánchez Mejías.

Redonet, quien también supervisó la investigación para la tesis doctoral de la que parte el presente ensayo.

¿Dónde quedan la poesía y el teatro dentro de este panorama de la producción literaria cubana más reciente? En cuanto a su posicionamiento social, los poetas y dramaturgos contemporáneos comparten idénticos presupuestos que artistas y narradores y obran en consecuencia en sus tomas de posición. El teatro ha sido uno de las actividades artísticas más críticas y desestructurantes, debido, como la interpretación musical, al contacto directo con el público y a las posibilidades de intercambio e improvisación que en él se ofrecen. No obstante, la publicación de los textos ha sido escasa y tardía, lo que ha limitado su alcance y ha supuesto también un obstáculo para su difusión internacional y su estudio[5]. Así, por ejemplo, el grupo literario y de interpretación "Nos-y-otros", vio impresas con cierta frecuencia sus obras narrativas, pero ninguna de las dramáticas, a pesar de que han representado sus propios trabajos durante varios años y a lo largo de toda la geografía cubana. Sobresalen especialmente en el panorama teatral cubano de esta época las obras de "El teatro obstáculo" de Víctor Varela y Bárbara María Barrientos, y las de Alberto Pedro Torriente interpretadas por El Teatro Mío. La irreverencia de muchas de estas obras, expuestas durante considerables periodos, ha sido tan notoria que cabe sospechar que el teatro ha sido utilizado por el sistema como una válvula de escape a las insostenibles presiones sociales que se han vivido en Cuba desde 1990.

En lo tocante a la poesía, el deseo de abrir un espacio de diálogo civil en el poema es bastante menos frecuente, probablemente debido al deseo de romper con la tradición del coloquialismo y conversacionalismo que dominaba la poesía cubana desde los 60 y que se había destacado por su fuerte contenido social. La nueva poesía presenta un anhelo esteticista, abriendo espacio al intimismo y a la reflexión de orden metafísico. De hecho, este cambio de tono radical supone, sin lugar a dudas, una sólida contestación a los reducidos márgenes impuestos por el realismo social y en torno a ese concepto giraron importantes grupos o cenáculos, del que sobresale el que se reunía en la azotea de la poeta Reina María Rodríguez. Sin embargo, la dimensión del contenido no hizo de la poesía un género con proyección sobre la necesidad de plantear ciertos debates públicos, por lo menos no como lo hiciera el cuen-

---

[5] La ausencia de textos impresos va seguida de la de crítica especializada; no obstante existen algunos trabajos de interés: Adler y Hess, 1999; Boudet, 1999; Gómez Triana, 2003; Leal, 1989; Martin, 1990; Varela, 2001, 2003; y Overhoff, 1999.

to. No obstante, hay ejemplos de poemas que sí presentan reivindicaciones civiles que atañen al orden de lo privado, como el difundido "Vestido de novia" de Norge Espinosa.

LOS NOVÍSIMOS COMO GRUPO

Para explicar por qué entendemos que un determinado grupo de autores puede dar forma a un periodo literario específico me baso fundamentalmente en lo expuesto por el sociólogo francés Pierre Bourdieu (1988a,1995) en su noción de *habitus*. Combinando un enfoque procedente de la tradición marxista y estructuralista con otro de índole idealista y humanista que, a diferencia del primero, contempla la capacidad y potencia creativa y transformadora de los seres humanos, Bourdieu trabajó fundamentalmente sobre las nociones de "campo" y "agente", subrayando el significado primigenio de este último término ("el que hace") y confrontándolo con el de "sujeto"[6]. En su análisis se entiende que el agente determina su posición dentro del campo en función de su producción, para lo cual resulta clave la estructura que está en la base y en el recorrido de sus prácticas y a la que él llamará *habitus*, término procedente de la filosofía clásica, básicamente de Aristóteles y de la Escolástica, aunque Bourdieu (1995) lo retoma y modifica desde Durkheim y Gauss. Esta noción es el pilar central de gran parte de su trabajo y, de sus múltiples explicaciones y aclaraciones sobre ella, quizá la definición más concisa sea la que describe al *habitus* como "un sistema de esquemas adquiridos que funcionan en estado práctico como categorías de percepción y de apreciación o como principios de clasificación al mismo tiempo que como principios organizadores de la acción" (1988a:26). Las prácticas se establecen como las representaciones del mundo en el que alcanzan un significado y están dentro de la naturaleza íntima de los individuos debido a la interiorización y asunción de determinados modos de vida que la sociedad confie-

---

[6] El término "sujeto", utilizado por Althusser y otros (post)estructuralistas y postmodernistas, está asociado a "reglas y estructuras", que son precisamente vocablos que Bourdieu prefiere sustituir por otros de significado más activo como "estrategias" o "posiciones". La idea central es enfatizar la "actividad" del agente y su potencia de obrar, en el sentido spinoziano, frente a la pasividad y mecanicismo a los que fue condenado tras la proclamación de la muerte del autor.

re (Bourdieu, 1992). Los principios de visión y división del mundo que encierra el *habitus* se articulan como un conocimiento sobreentendido y, hasta cierto punto, inconsciente.

Bourdieu entiende que dentro del principio de *habitus* se encierran elementos que consolidan el poder de la clase dominante, lo que él ha llamado "dominación simbólica" (1988b), y esos elementos van transformándose en la medida en que los agentes modifican las estructuras con sus luchas y juegos de fuerzas. El *habitus* es tanto un saber como "un haber que puede, en determinados casos, funcionar como capital" (1995:268) y se presenta como una especie de segunda naturaleza que supone esquemas de percepción y apreciación que orientan la disposición a pensar, actuar y sentir de una determinada manera. Ahora bien, el aspecto que separa a Bourdieu de pensadores afines a la órbita estructuralista –Lévi-Strauss, Derrida– es la importancia que otorga a la capacidad creativa y transformadora que reside en el *habitus* y que caracteriza las prácticas humanas, aspecto que es el motor de cambio, desarrollo y evolución de las sociedades. Para Bourdieu (1995,1999a, 1988a) la práctica no es una consecuencia pasiva del *habitus,* sino una experiencia basada en sentimientos que se incorporan a los posicionamientos individuales derivados de los imperativos sociales.

Así pues, Bourdieu entiende que cualquier campo (para nosotros el cultural, artístico o literario) se presenta regido por unas leyes específicas. El agente inserto en él (intelectual o artista) está condicionado por el sistema de relaciones ("relaciones objetivas"[7]) que establecen el resto de los agentes en lo que toca a la producción y distribución de las obras. El capital cultural, determinado por la posición ocupada por el agente y en función de las fuerzas que sobre él incidan y de las que él mismo disponga, marca el carácter de las tomas de posición. Éstas abarcan tanto a la obra artística como a cualquier otra manifestación: declaración, proclama, ponencia, artículo, etcétera. El análisis de ese espacio de las posiciones en el campo de fuerzas está íntimamente ligado al análisis de las estructuras mentales del individuo, ya que éstas se conforman

---

[7] Plejanov (1947, 1953) hablaba de "necesidad objetiva" en ciertas relaciones sociales y considera que el estudio de esta interacción hace posible entender el desarrollo de la conciencia (pensamiento, ideología) humana.

a partir de la aprehensión que el individuo realiza de las estructuras
sociales y de la génesis de éstas.

> Se parte efectivamente del supuesto de que comprender una obra de arte
> sería comprender la visión del mundo propia del grupo social a partir o para el
> cual el artista habría compuesto su obra, y que financiador o destinatario, causa
> o fin, o ambas cosas a la vez, se habría expresado en cierto modo a través del
> artista, capaz de explicitar sin tener conciencia de ello verdades y valores de los
> que el grupo expresado no tiene necesariamente conciencia. (1995:303)

En este trabajo se perfilan algunas de las relaciones y fuerzas existentes en el campo cultural y cómo los nuevos artistas incidieron sobre
ellas, cómo se modificó su forma de percibir el mundo y por qué y, finalmente, cuál es el sentido de su obra en el marco cultural, social e histó-
co de la Cuba actual. Con este análisis se pone de manifiesto que la producción artística cubana de las últimas décadas no es espejo de su sociedad, sino un elemento activo en la conformación del espacio social y en
la lucha por una apertura democrática. Bourdieu afirma que el motor
de cambio de las generaciones se sustenta en una base mental; es decir,
el proceso clásico de "desautomatización", de reacción contra lo instituido, no surge *ex nihilum* ni tampoco por inercia, sino que está funda-
mentado en hechos y aconteceres históricos y sociales. La pregunta que
surge es por qué se modifica el *habitus* de un grupo social en un determinado momento de la historia colectiva en que éste se enmarca. ¿Por qué
se establecen diferentes estructuras mentales que llevan a los sujetos a
optar por la "herejía", por la "desautomatización", por la alternativa, en
lugar de por la continuidad ortodoxa?

En el caso de Cuba encontramos diversos factores que conforman
un diferente *habitus*. Por un lado, los Novísimos se forman y educan en
los años setenta y ochenta, cuando la etapa eufórica de la Revolución ha
quedado ya atrás. Son beneficiarios, no obstante, de un sistema educativo de excelencia incomparable en el contexto latinoamericano que permite que por vez primera en el país, sujetos de origen humilde accedan
a una educación superior. Con ciertas excepciones, los artistas y escritores que dan forma al movimiento que estudiamos proceden de ese
medio y se acercan a la cultura desde perspectivas ajenas a la tradición
burguesa, lógica reforzada orgánicamente por la Revolución. Su fidelidad al sistema se les presupone, puesto que son hijos de revolucionarios

y han sido educados en un sistema que diariamente confirma los valores que lo sostienen en cada una de las asignaturas que forman parte del currículo educativo. De hecho, podemos decir que la salida masiva de artistas y escritores durante los años noventa responde en principio a la dramática situación económica y a la pérdida de esperanza en un progresivo reajuste y adaptación. La crítica que llevan a cabo los Novísimos es una crítica inicialmente orgánica que conduce a la disidencia sólo cuando las vías de cambio han sido completamente cercenadas. Esa crítica que se elabora en sus obras con pretensiones de apertura e inclusión civil responde tanto a su formación y educación revolucionaria como a una serie de acontecimientos que transformaron o desvirtuaron esos paradigmas que la Revolución había instituido. De entre esos sucesos que afectaron creencias y valores, los Novísimos han señalado con cierto énfasis el deterioro económico, el éxodo masivo de 1980, las campañas de internacionalismo bélico y el caso Ochoa[8]. La importancia de estos acontecimientos en la reciente historia cubana reside en la trascendencia que tuvieron socialmente y en los cambios de visión y percepción de ciertos paradigmas que generaron.

Con el objetivo de dar coherencia al posterior análisis de la producción artística y literaria, a continuación describiremos en primer lugar la evolución del campo artístico cultural cubano en los últimos cuarenta años y, en segundo término, los acontecimientos históricos y sociales que marcaron la época de formación de los autores.

---

[8] Para fundamentar la noción de *habitus* hice un estudio de campo entre el año 1994 y el año 2000. Durante ese período trabajé directamente con escritores y artistas dentro y fuera de Cuba, siguiendo el método de investigación sociológica establecido por Bourdieu (1999a).

2. Campo de poder y campo intelectual en Cuba desde 1959

El triunfo de la Revolución, en enero de 1959, produjo un fenómeno insólito en la historia de Cuba: el encuentro en el territorio insular de todos los intelectuales; aquéllos que vivían en el exilio regresaron para formar parte de lo que prometía ser la reinstauración de la República soberana en Cuba. Hasta 1961[1] colaboraron conjuntamente en la reforma educativa y cultural que habían soñado y proyectado. Una vez erradicada la prensa independiente y opositora, se fomentó la creación de publicaciones y editoriales, se realizó la campaña de alfabetización y tuvo lugar la creación de diversas instituciones: del Instituto de Arte e Industria Cinematográfica (ICAIC, 1959, dirigido por Alfredo Guevara), de la Imprenta Nacional (1959, dirigida por Alejo Carpentier), de la Casa de las Américas (1960) para coordinar las relaciones con Latinoamérica, del Departamento de Literatura y Publicaciones del Consejo Nacional de Cultura (1961, dirigido inicialmente por Lezama Lima) y también, posteriormente y ya bajo censura y con propósitos propagandísticos o adoctrinadores, de la Editora Nacional (1962). El órgano de publicación periódica más importante era el diario *Revolución* (dirigido por Carlos Franqui) con su suplemento cultural, *Lunes de Revolución* (dirigido éste por Guillermo Cabrera Infante). Ambos tenían un alcance muy amplio,

> Para los visitantes extranjeros, la circulación de *Lunes* suponía toda una revelación. Tenía tantos lectores como el diario *Revolución* y llegó a vender hasta 250.000 copias. Las encuestas señalaban que los lectores del periódico leían también atentamente el suplemento cultural. Sartre y Simone de Beauvoir expresaron su sorpresa cuando, tras sus conversaciones en diferentes lugares de la isla, comprobaron que gracias a *Lunes* muchos cubanos de a pie sabían más sobre Picasso y la vanguardia que cualquier francés. (Menton 1975:128, mi traducción)

Pero en 1961, tras la invasión de Bahía Cochinos y como consecuencia de la amenaza intervencionista norteamericana, Fidel Castro

---

[1] Pío E. Serrano (1999) ha denominado a este bienio "la luna de miel".

declaraba el carácter socialista de la Revolución y se iniciaba una pugna
entre los fines culturales del poder y los idearios de algunos intelectuales, entre otros los de los dirigentes de *Lunes*. El desencadenante del primer enfrentamiento entre poder e intelectuales fue la prohibición por
parte del ICAIC del corto cinematográfico *P.M.* de Orlando Jiménez y
Sabá Cabrera Infante, que iba a ser emitido en el programa televisivo
con que contaba *Lunes de Revolución*. Los integrantes de *Revolución* pro-
testaron, recogieron firmas de apoyo, pero finalmente sólo consiguieron ser convocados, junto con otros importantes escritores y artistas, a la
Biblioteca Nacional de La Habana donde tuvo lugar el I Congreso
Nacional de Escritores y Artistas (celebrado los días 16, 23 y 30 de junio
de 1961). El proceso de sovietización había empezado, el campo artístico y literario era traspasado por las fuerzas ajenas que imponía el discurso ideológico del poder (en términos de Bourdieu, "principio heterónomo"). El discurso pronunciado por el líder máximo en el congreso ha
sido la prueba fehaciente de ese proceso de intervención que ha caracterizado, y caracteriza aún hoy, la escena cultural en Cuba. Un pasaje de
éste explicitaba la máxima que sería ley a partir de ese momento y que
sometía cualquier actividad de la esfera social y económica a los dictados políticos.

> Esto significa que dentro de la Revolución, todo; contra la Revolución,
> nada. Contra la Revolución nada, porque la Revolución tiene también sus dere-
> chos y el primer derecho de la Revolución es el derecho a existir y frente al dere-
> cho de la Revolución de ser y de existir, nadie. (1980:14)

Justificaba también la censura, exigía la agrupación de los artistas,
aniquilando así, como en el resto de las esferas sociales, la individualidad; daba marco legítimo a la dicotomía "Patria o muerte, Revolución o
muerte", es decir, *unidad* o muerte, *comunismo* o muerte. Durante casi
cuarenta años estos paradigmas han hecho que nociones como las de
revolución, patria, socialismo, independencia, identidad o nacionalidad
se identificasen. El más ligero pronunciamiento individual con respecto
a los grupos de control (cualquiera de los que se instituyeron en la isla:
desde los Comités de Defensa de la Revolución –CDR– a la Federación
de Estudiantes Universitarios –FEU–) significaba no compartir la ideología única y, por la mencionada asociación, no ser acreedor de la nacionalidad cubana y carecer, por tanto, de ciudadanía e identidad.

Roger Reed (1991) señala que la Revolución Cubana no ha sido una revolución únicamente en el campo de lo económico o de lo político, sino que sobre todo ha sido una Revolución Cultural. La campaña que emprendió Che Guevara con el tema del "Hombre Nuevo" está en su base.

> El concepto de "hombre nuevo" acuñado por el Ché tiene su origen en el pensamiento marxista ortodoxo. Marx entendía que la naturaleza humana cambiaría como resultado de transformaciones en el sistema económico y social. Sin embargo, el Ché creía que eliminar "los medios de producción" capitalistas no era suficiente. Estaba convencido de que era necesario establecer una conciencia socialista a través de la educación política y de la participación en actividades revolucionarias. (9, mi traducción)

Los intelectuales estaban en el punto de mira de los ideólogos del régimen político, pues el control de los órganos y esferas culturales (escuelas, universidades, medios de comunicación, editoras) era un aspecto fundamental para el sostenimiento de la Revolución. Únicamente así se podría legitimar un saber que fuera parte intrínseca del sistema político y del estado.

Poco después del I Congreso, *Lunes* fue cerrado y se creó la Unión de Escritores y Artistas de Cuba (UNEAC) dirigida por Nicolás Guillén (miembro del partido comunista ortodoxo: Partido Socialista Popular –PSP–). En 1961 se da el inicio de una campaña, dirigida por Castro y ejecutada por las instituciones, que durante más de 10 años llegó a límites insospechados con el fin de crear una conciencia socialista. Para este fin la propaganda (a través de todos los órganos de difusión cultural, estatalizados para ello) y la censura fueron piezas clave. A pesar de que en diversas ocasiones Castro y Che Guevara hablaran en contra del "realismo socialista" (impuesto por Stalin –a través de A. Zhdanov– en 1934), como en el Congreso Internacional de Cultura en 1968, donde se hablaba de libertad artística total, la realidad cultural cubana caminaba por diferentes vías. A partir de entonces se editarían y premiarían obras, de escaso valor literario, que siguieran la línea propagandística del discurso oficial. A estos efectos todas las editoras se integraron en 1967 en un único órgano, el Instituto Cubano del Libro, que ha dictado hasta hoy los parámetros de lo "publicable". Esas medidas cercenaron el derecho de libertad de expresión paulatinamente, factor que intervino decisivamente en el éxodo ideológico y cultural, el segundo que ha vivido Cuba, después del que se produjera a mediados del siglo XIX[2]. Los primeros en optar por el exilio fueron los intelectuales vinculados al proyecto republicano que no admitían la orientación comunista anunciada por Fidel Castro: Jorge Mañach, Herminio Portell Vilá, Lydia Cabrera, Félix Lizaso, Leví Marrero, Gastón Baquero, Florit o Sarduy. A éstos siguieron quienes protagonizaron el episodio de *P.M.* o estaban en la órbita de *Lunes*: Cabrera Infante, Carlos Franqui, Calvert Casey, Néstor Almendros, José Triana y un largo etcétera. Su salida representó la válvula de escape mediante la que el nuevo régimen eliminaba los peligros de actitudes críticas incontrolables y afianzaba el proyecto de la cultura oficial que formaría parte del régimen totalitario.

El exilio no ha sido la única vía adoptada cuando no existía coherencia entre el discurso revolucionario y el discurso personal de los intelectuales. Ya Calvert Casey percibió la posibilidad del "insilio", una actitud que ha rechazado tanto la salida como la lealtad al régimen y que se ha situado como una voz que encuentra vías de expresión alternativas[3]. En ese espacio de permanencia sin complacencia se sitúan Lezama Lima, Virgilio Piñera y Reinaldo Arenas, entre otros.

Entre 1967 y 1970 tuvo lugar la "Ofensiva Revolucionaria" que paulatinamente introdujo el sistema soviético en Cuba empezando por la estatalización de la economía e implantándose pronto en todas las actividades sociales. El punto máximo de la injerencia del campo del poder político en el campo intelectual y artístico se dio con el famoso proceso al que fue sometido el poeta Heberto Padilla en 1971. El poeta había formado parte de *Lunes de Revolución* y, además, en 1967 había sostenido una polémica con Lisandro Otero (vicepresidente del Consejo Nacional de Cultura) al defender *Tres tristes tigres* de Cabrera Infante, ganadora del premio Biblioteca Breve, frente a la novela de aquél, *Pasión de Urbino,* candidata también al premio. La publicación de este enfrentamiento le costó el puesto de trabajo a la directiva del suplemento cultural *El Caimán Barbudo* y al propio Padilla, quien pasa a ser

---

[2] Las figuras centrales de esa época, quienes determinan la historia del pensamiento cubano, Félix Varela, Domingo del Monte, José María Heredia y José Antonio Saco, elaboraron su obra en el exilio.

[3] Los tres conceptos: "salida", "lealtad" y "voz" son los utilizados en el conocido modelo sociológico de Albert O. Hirschman (1970). Han sido aplicados al análisis de procesos cubanos por críticos como Rafael Rojas o Josep M. Colomer.

una de las ovejas negras del campo cultural. Cuando en 1968 gana el premio de poesía "Julián del Casal" (convocado por la UNEAC y dotado con publicación, viaje y metálico) la maquinaria de control se pone en marcha, pero no logra, pese a las presiones, cambiar el veredicto del jurado[4]. No obstante, el premio no se hizo efectivo en su totalidad: la circulación de la obra fue casi nula, y no hubo viaje ni dinero. Entre noviembre y diciembre de ese año, la revista de las fuerzas armadas, *Verde Olivo*, publicó cinco artículos, firmados por Leopoldo Ávila (en opinión de la crítica, pseudónimo del crítico literario José Antonio Portuondo), atacando fundamentalmente a Padilla y a su libro por contrarrevolucionarios, aunque también incluía a otros escritores (Casal: 20-42). La ocasión esperada para su detención se presentó en marzo de 1971, con motivo de la estrecha amistad que unía al poeta cubano con el representante diplomático de Chile en La Habana, el también escritor Jorge Edwards, quien fue expulsado del país en esos momentos. Padilla fue obligado a retractarse públicamente a través de una carta apócrifa y de un discurso auto-inculpatorio (Casal: 78-104), que sabiamente utilizó como denuncia al permitir una doble lectura que dejaba entrever la represión, la tortura y el miedo. Reed menciona que el escritor ruso Bukharin "empleó una estrategia similar al admitir responsabilidad política por sus actos mientras negaba su complicidad en un delito real" (1991: 119). La repercusión fue de ámbito internacional y puso punto y final al apoyo de la mayor parte de los intelectuales extranjeros al régimen de La Habana. No obstante, Castro había ganado la batalla que le interesaba y, dentro de la isla, Padilla cayó en una invisibilidad y marginación de la que no logró salir hasta su exilio en 1980; el resto de los intelectuales en la disidencia sufrieron los efectos del terror y de la auto-censura.

En abril de ese mismo año, se celebró el I Congreso Nacional de Educación y Cultura en cuya declaración inaugural (Casal: 105-114) se dictaba que todo trabajo artístico era propiedad de la nación cubana, eliminando así el derecho a la propiedad intelectual. Quedaba estigmatizado todo lo extranjero, incluidos los intelectuales latinoamericanos que vivieran en Europa. Particularmente se atacaba a los artistas homo-

---

[4] Uno de sus componentes, Manuel Díaz Martínez, da su testimonio en "El caso Padilla: Crimen y Castigo", *Encuentro de la Cultura Cubana*, n° 4-5, Madrid, 1997.

sexuales que, a partir de ese momento, podrían llegar a ser castigados hasta con la pena de muerte. Muchos de ellos fueron recluidos en las Unidades Militares de Ayuda a la Producción (UMAP), que se habían creado en 1965 para "regenerar" a sujetos o grupos (como los religiosos) disidentes. La censura (nunca reconocida como tal) pasaba a formar parte orgánica de las instituciones y de cada sujeto revolucionario, es decir, la observancia de las normas revolucionarias era misión de todos. La delación fue corriente moneda de cambio. La purga se puso en marcha y con ella una de las décadas negras de la historia de Cuba. Esta línea marcó la vida cultural de los años 70, probablemente el periodo más oscuro en términos culturales y artísticos de la historia de la Revolución.

La creación del Ministerio de Cultura en 1976 a cargo de Armando Hart pretendió abrir una nueva etapa en la política cultural. La retórica del poder parecía querer poner punto y final a la reciente década negra, plagada de persecuciones (como la de Piñera o Arenas), silenciamientos (el de Lezama Lima) y vejaciones de los más elementales derechos. Pronto se desveló que quienes deberían poner punto y final a su "diversionismo ideológico" eran los intelectuales y así rectificar sus propios errores. La creación de organismos para la generación y difusión controlada de la cultura tuvo también efectos positivos, ya que, a pesar de todo, podían constituir una vía de escape, dentro del medio hostil, para intelectuales y artistas. En este momento se crean el Centro de Estudios Martianos, el Centro de Promoción Cultural "Alejo Carpentier", el Centro para el Desarrollo y la Estimulación de las Artes Plásticas "Wifredo Lam" y el Centro Cultural "Juan Marinello".

Aunque con matices, el clima de terror pierde gran parte de su fuerza a finales de los años ochenta debido a cambios del orden de lo drástico y que, como he señalado, cambian la percepción del mundo de los nuevos artistas que no vivieron la estalinización de los setenta. No obstante, el discurso ideológico del poder sigue reafirmándose en los mismos preceptos. En 1983, Armando Hart (1986) vuelve sobre los mismos tópicos de la necesidad pragmática, propagandística y socialista, en primera y última instancia, de la obra de arte y de los artistas e intelectuales.

En los primeros noventa, sin embargo, el control político no puede evitar que los espacios de las posiciones cambien en el campo cultural. En cierto sentido se inicia un proceso de crítica y revisión de la década de los setenta y de algunos de los atropellos cometidos. Los propios artistas rescatan obras de algunos escritores silenciados o perseguidos en el pasado y las presiones entre compañeros disminuyen. Las condiciones socio-económicas dan un brusco giro y hacen que el régimen castrista pierda el control omnímodo que antes ejercía. La necesaria apertura de la isla acerca a críticos internacionales que tienen ahora mayor facilidad para realizar una investigación de temas no gratos. Precisamente son éstos los que inciden en el crecimiento del capital simbólico de los Novísimos frente a sus predecesores que, sin embargo, ejercen el poder alineados a los principios *ad usum*. A pesar de todo, el discurso ideológico, en otro intento por "salvar el socialismo", incrementa su ortodoxia para evitar la imitación de la *perestroika*, tras la caída del Muro. Se persigue con especial énfasis a las recién aparecidas asociaciones en defensa de los derechos humanos y se encarcela a sus miembros en algunos casos. Obedece esto último al esfuerzo del régimen castrista, siguiendo el patrón leninista, de evitar la aparición de una sociedad civil en Cuba.

A pesar de los esfuerzos de los intelectuales y artistas, el principio heterónomo ha seguido operando en el campo cultural cubano, pues el discurso ideológico aún penetra las permeables membranas de las instituciones culturales. Un ejemplo se da en 1996, año marcado ya por un relativo (aunque indeseable para el poder) grado de descentralización y autonomía, que afecta en ese momento a todos los ámbitos de lo social. El suceso tuvo lugar tras el derribo de una avioneta norteamericana (procedente de Miami) por sobrevolar el espacio aéreo cubano. Nadie esperaba el ataque, puesto que la presencia de avionetas era un hecho frecuente en los cielos cubanos. Parece haber sido una maniobra para dar al traste con las fructíferas negociaciones que estaba llevando a cabo el propio gobierno cubano con inversores norteamericanos desde hacía dos años. Todo parecía apuntar a la puesta en marcha de la Reforma necesaria para salvar a Cuba del estado de casi bancarrota. Esto hubiera supuesto una mejora de la exigua economía cubana, pero, al mismo tiempo, hubiera abocado al país a la incorporación a una economía de mercado, incompatible, con el régimen revolucionario. Tras el derribo de la avioneta y la consiguiente crisis diplomática con Estados Unidos, se sucede un repliegue de libertades en todos los campos. En el *Informe del Buró Político*[5] que presentó Raúl Castro el 23 de marzo y que fue aprobado en el V Pleno del Comité Central del Partido Comunista de Cuba, se arremetía directamente contra el Centro de Estudios sobre América (CEA)[6]. Los investigadores de este centro habían venido desarrollando una importante labor en torno a la creación de recursos civiles en el socialismo, así como una crítica constructiva sobre la acción económica y social del Estado cubano en la presente coyuntura histórica. Una parte fundamental de su investigación se había centrado en el análisis de la economía dentro del cuerpo del socialismo, con propuestas, previsiones e ideas reformistas con el fin de adaptarse a las nuevas circunstancias. En 1995, sacaron a la luz una revista, *Temas*, cuya calidad la proyectó internacionalmente. En ella se discutían, criticaban y revisaban las cuestiones anteriormente aludidas. A excepción de la auto-impuesta, internalizada por todo cubano, no se dio inicialmente censura explícita. La terrible situación a la que se llegó en los primeros noventa, hacía prever la reforma de órdenes caducos ahora ya inservibles que estaban dificultando la supervivencia del pueblo. Los investigadores del CEA creyeron lícito y ético proponer vías de cambio, dentro del propio sistema, que

---

[5] Raúl Castro, *Informe del Buró Político*, (en el V Pleno del Comité Central del Partido, 23.3.1996), *Granma* (27.03.1996). Este documento pone en práctica el lenguaje del "doble vínculo" que caracteriza el discurso castrista y ha cobrado fuerza como pauta comunicativa en la sociedad revolucionaria. El término procede del campo psicológico (Bateson, 1993a, 1993b; Watzlawick, 1993) para identificar prácticas comunicativas de sujetos que detentan algún tipo de poder, real o simbólico, en las que dos mensajes entran en contradicción: uno negativo inicial y otro secundario de índole más abstracta. Ambos mensajes se enmarcan en una prohibición global de escapar de la situación paradójica, las personas expuestas a este lenguaje de manera reiterada presentan focos neuróticos y autodestructivos o, cuando menos, sentimientos de inseguridad, confusión, culpabilidad, desamparo y perplejidad. El *Informe del Buró Político* al que aludimos defiende las medidas económicas adoptadas en los años noventa y critica, al tiempo, los perniciosos efectos de éstas. Con ello el estado se justifica a sí mismo por haber tomado medidas que van en contra de la economía centralizada y socializada, pero se permite la posibilidad de castigar o penar a quienes las lleven a cabo en virtud de los efectos nocivos que conllevan.

[6] Este organismo ha sido el foco de intelectuales más importante de los últimos años en Cuba y ha representado un papel fundamental en la reflexión sobre el futuro del socialismo en Cuba. Fue creado en 1977 y vino a cubrir el hueco en la investigación en ciencias sociales que había supuesto la desaparición de las facultades de Sociología y Ciencias Políticas a principios de la década.

mejoraran la caótica situación. Rafael Hernández (1994, 1999), por ejemplo, planteó la necesidad de ceder espacios que dieran voz a la nueva sociedad emergida después de la reforma constitucional de 1992 y de los cambios en la estructura económica[7]. En su obra se sugieren los beneficios que produciría el establecimiento de nuevas medidas económicas y políticas coherentes con la lógica del sistema socialista, pero adaptadas a la nueva situación internacional. Aludía explícitamente a la descentralización y reducción de la burocracia, al fomento de empresas en régimen de autogestión con criterios productivos basados en la eficiencia, al reajuste monetario y al establecimiento de un sistema impositivo.

Sin embargo, la respuesta del gobierno no mostraba su conformidad con las sugerencias que le llegaban desde el CEA El mencionado *Informe* leído por Raúl Castro atacaba, sin nombrarlo, al artículo publicado en el cuarto número de *Temas* por otro investigador de C.E.A, Hugo Azcuy, que llevaba por título "Estado y sociedad civil en Cuba". Según Bert Hoffmann, "el discurso se lee durante párrafos enteros casi como un negativo del artículo de Azcuy" (1998: 81). El director del CEA fue destituido de su cargo inmediatamente después del discurso y el autor del artículo murió súbitamente de un infarto. Reforzada por la ambigüedad (no se dieron menciones ni nombres concretos), la amenaza de represalia se extendió, una vez más, calando y modificando la conductas de los intelectuales. La auto-censura se impuso en los investigadores del centro y en la redacción de la revista. Las amenazas no llegaron a hacerse efectivas en represalias directas, no obstante, el proceso de autocrítica y de pérdida de autoestima de los investigadores ya era un hecho. El comité Central del Partido Comunista de Cuba inició entonces la publicación de *Cuba Socialista*, dedicada a Fidel, con el objetivo de recordar cuál es el discurso político cubano y poner punto final a la investigación social elaborada por los miembros del CEA.

En 1998 Abel Prieto, un político de mentalidad abierta si lo consideramos dentro del sistema de "comunismo tardío" cubano, releva al desgastado Armando Hart en la cartera de Cultura. Su llegada al minis-

---

[7] Nos referimos principalmente a la creación de asociaciones económicas y cooperativas agrícolas, al derecho al trabajo por cuenta propia y a la ley de inversiones extranjeras promulgada en 1995 que abrió el sector turístico a capital foráneo.

terio distendió las relaciones entre los intelectuales y el poder, las cuales se habían visto seriamente afectadas entre 1990 y 1996. Aunque desde entonces ciertamente la permisividad en el espacio de la creación y de la difusión ha sido mayor, no ha supuesto un cambio sustancial, por lo que una buena parte de los Novísimos optaron por el exilio y su incorporación al grupo cubano en la Diáspora.

En la opinión especializada de Carmelo Mesa-Lago (1997), Jorge I. Domínguez (1997) y Rafael Rojas (1997a, 1997b), los cambios producidos en Cuba en materia política, económica y social desde finales de los años ochenta son de tal magnitud que se puede hablar de un cambio de régimen: de uno totalitario a uno autoritario (Linz, 1975). No obstante, la elite dirigente mantiene una voluntad expresa de "totalitarismo" omnímodo: en el control de las esferas política, económica y social del país, aunque se vea obligada a ejecutar y aprobar actividades que manifiestan la pérdida de control que tuvo en el pasado. Rafael Rojas confirma que "ese proceso de destotalización, o de autodestrucción del orden totalitario, ha sido suscitado por los movimientos culturales de los 80, que abrieron no pocas fisuras al discurso del poder, y por el reajuste económico de los 90." (1997b: 34)

Sirva lo expuesto para entender qué campo literario es el que integraron los componentes de los Novísimos y qué significado tendrán sus tomas de posición en la desarticulación de algunos vectores de fuerza. La incidencia vertical del campo de poder y del discurso ideológico parece ser, no obstante, una característica endémica del Régimen Revolucionario cubano. La obra *artística* se convierte en Cuba en una obra *política*, debido a esa sujeción del campo literario al campo de poder. Por otra parte, tal y como señala Lucy R. Lippard (1984), la politización de la obra artística en el arte occidental del último cuarto del siglo XX es innegable. En el caso de Cuba la zona política del producto artístico está marcada doblemente por las circunstancias políticas internas y por las influencias norteamericanas y europeas que son, como veremos, notables.

3. La formación de los Novísimos: procesos y acontecimientos

La visión del mundo, el *habitus* de un determinado grupo implica entender la historia de los agentes y de los sistemas de relaciones en que éstos se mueven. El significado de la obra de creación en Cuba depende en gran medida del papel institucional que el autor desempeñe o de sus relaciones y movimientos dentro de las instituciones culturales. Como hemos visto, esas instituciones culturales están sometidas a fuerzas de carácter vertical que se irradian desde las más altas esferas de gobierno. Además de ese entramado institucional, clave para entender el comportamiento de los creadores que nos ocupan, resulta necesario evaluar la trascendencia de ciertos procesos sociales y de acontecimientos históricos específicos que se registran de manera especial en el imaginario político y cultural. De ahí que a continuación nos ocupemos de describir una serie de sucesos acontecidos en Cuba a partir de 1980 y, que en mayor o menor medida, afectaron a la percepción y al estado de opinión de la sociedad cubana. La dimensión social de los procesos que presentaré supuso una importante reconsideración del orden sociopolítico impuesto, marcando definitivamente a quienes lo vivieron durante sus años de formación, como los Novísimos. La fuerza de estos acontecimientos modificó la recepción e interpretación del discurso oficial, y de los valores paradigmáticos de la Revolución cubana. Cuando los agentes sociales afectados se incorporen al campo artístico cultural se verán forzados, en virtud de su *habitus*, a luchar por un diferente orden en el espacio de las posiciones. Así pues, podemos suponer que de estos sucesos surge la ruptura ética y estética que caracteriza a los Novísimos. Buena parte de estos autores han señalado uno o varios de los acontecimientos que a continuación vamos a detallar como punto de inflexión o como eje de cambio en cuanto a su percepción de los paradigmas revolucionarios. La importancia de estos momentos históricos y de sus condiciones es perceptible en el cuento y la obra plástica, ya que muchos de ellos los abordan bien como marco o como tema central, haciéndose eco del pensamiento y del estado de una parte de la sociedad. El análisis

de las obras literarias como obras sociales es una de las pocas vías fide-
dignas que poseemos para analizar el cambio de una sociedad que en
los últimos cuarenta años ha tenido escasas vías autónomas de expresión; una sociedad donde el aspecto político ha privado sobre el civil en
la medida en que las asociaciones existentes eran todas de orden estatal.

LOS FLUJOS MIGRATORIOS

Como señala Richard Gott (2004) en su análisis histórico sobre
Cuba, las naciones del Caribe presentan una historia paralela, debido a
su circunstancia geográfica, de la que sobresalen especialmente las
marcas de los flujos migratorios. La diáspora es un aspecto activo en la
formación de la nación cubana: los indígenas que reciben a Colón procedían originalmente de la zona continental del Caribe, los criollos y
mambises que protagonizaron las luchas por la independencia a finales
del siglo XIX eran hijos de emigrantes españoles y africanos desplaza-
dos. El régimen colonial español y la ocupación norteamericana ali-
mentaron el exilio de aquéllos que luchaban contra su poder e injerencia. En sintonía, desde 1959, tras el triunfo del movimiento liderado
por Castro, se ha producido un constante flujo migratorio acrecentado
en cuatro momentos. El primero de ellos tiene lugar inmediatamente
después del triunfo revolucionario, aunque evidentemente éste no
tenga un impacto directo en la aún por nacer generación de los Novísimos. Serán las consecuencias de esta salida las que sí afecten a este
grupo en su infancia o primera juventud, especialmente cuando en
noviembre de 1978, Fidel Castro invitara a La Habana a un nutrido
grupo de exiliados cubanos procedentes de diferentes partes del
mundo con los que sostuvo diversos encuentros. Las consecuencias
directas de aquel "diálogo" fueron, por una parte, la relativa apertura
de las puertas de la Isla para ocasionales y temporales visitas por parte
de quienes se habían ido tras el triunfo de la Revolución y, por otra, la
liberación de cientos de prisioneros políticos. Indirectamente el diálogo tuvo una repercusión trascendental en la medida en que causó una
profunda conmoción tanto en la sociedad cubana como en la comunidad residente en el extranjero, especialmente en la de Miami. Después
de veinte años muchos cubanos exiliados, la mayoría procedente de
Estados Unidos, volvieron a su tierra natal, que habían dejado como

"traidores" y "gusanos". En el punto álgido del llamado "milagro" económico de Miami, regresaron con las manos llenas y aliviaron las ajustadas y maltrechas economías domésticas de sus familiares. Para el grueso de la población quienes fueron "gusanos" retornaban ahora convertidos en "mariposas" que contemplaban el punto muerto en que la Revolución se había estancando años atrás. La otra cara de la moneda fue la oposición al Diálogo que sostuvieron muchos exiliados y que, hasta nuestros días, ha dividido a la comunidad cubana en el exilio. Los "dialogueros" fueron acusados de traidores, amenazados y atacados con golpes terroristas.

Ronaldo Menéndez (1995a) y Jorge Brioso (1994) han señalado la incidencia que este retorno tuvo en la sociedad cubana, y específicamente en los Novísimos, ya que los paradigmas de identidad nacional, hasta entonces absolutamente basados en la cualidad territorial, empezaron a fluctuar y a variar con respecto a los términos categóricos en que se habían enunciado en las décadas precedentes. A partir de este momento, y en la medida en que la economía cubana iba decayendo y la remesa en divisas se convertía en la principal fuente de ingresos para el país, la demonización de los exiliados anticastristas fue perdiendo color hasta, en algunos casos, tomar un cariz inverso. La información directa sobre la realidad norteamericana y del mundo capitalista que llevaban los retornados contrastaba con la que hasta entonces había divulgado el gobierno. Ante la crisis política y económica, el mito del paraíso al otro lado del mar Caribe empezó a adquirir proporciones irreales y encontró un posible reflejo en la peculiar situación económica que habían alcanzado quienes fueran a Miami a principios de los sesenta. Esto constituyó un importante impulso para los éxodos migratorios que a continuación mencionaremos que, al igual que el que nos ocupa, socavaron los paradigmas ideológicos del *habitus* revolucionario. El proceso de emigración cubano es un tema de extrema complejidad que ha sido altamente politizado, los flujos migratorios entre Cuba y Estados Unidos han sido manipulados por los gobiernos de ambos países, por lo que a veces resulta difícil el cotejo de la información existente. Por un lado, la oposición absoluta, en términos excluyentes, que han establecido Cuba y los Estados Unidos en el periodo revolucionario, ha obligado a éstos últimos a ejecutar una política migratoria altamente tolerante. Josep M. Colomer (1998) traslada a Cuba la teoría que Albert Hirschman (1970) aplicara a los países del Este de Europa, quien utilizaba los conceptos de "salida", "voz" y "lealtad", junto con la influencia de los medios de comunicación, para explicar los movimientos migratorios Este-Oeste durante la Guerra Fría y la existencia del Muro de Berlín. Este estudio revelaba que el descontento y el deseo de salida eran mayores en la medida en que se sintonizaban menos medios de comunicación (radio o televisión) "enemigos", pues la idealización de "lo otro" aumentaba.

Las etapas de crisis profunda en Cuba han ido acompañadas de una salida masiva consentida por las autoridades, que evitaban así las posibilidades de una revuelta (voz). Cuba ha forzado siempre a los Estados Unidos a poner los límites, ante la magnitud de las cifras de exiliados (los cubanos eran recibidos con todos los derechos hasta 1995, año en que se los equipara en estatus al resto de los inmigrantes[1]), fomentando de esta manera la "hostilidad" contra el "enemigo", quien se erigía así en "culpable" al no aceptar la llegada a su territorio de los insatisfechos. No obstante, en contra de lo afirmado por Colomer, la política migratoria de Cuba, a excepción de estos momentos señalados, ha sido altamente restrictiva, ya que los cubanos no cuentan con un pasaporte en regla. Éste únicamente se consigue después de pasar los largos y costosos trámites y obtener los permisos obligatorios para poder abandonar el país, incluso en el caso de estancias temporales.

Después de la salida inicial de unas 200.000 personas entre 1959 y 1962 (Pérez, 2003), oponentes al incipiente régimen socialista revolucionario, será en 1965 cuando se dé la primera crisis del régimen ya instituido. Anuladas las elecciones libres y en estancamiento económico, pese a muchos esfuerzos, el descontento del pueblo se oye con cierta fuerza. Para aliviar tensiones, Fidel concede que residentes en Miami lleguen a las costas cubanas y recojan a sus familiares, siendo unos 3.000 los que salen en poco más de un mes. La magnitud de la afluencia hizo que Estados Unidos restringiera el acceso a su territorio, dejando a 2000 cubanos más en espera en un pequeño puerto cercano a Varadero y habilitado al efecto: Camarioca, nombre que recibió este flujo. Los ame-

---

[1] Los inmigrantes de ahora no pertenecían a la clase media y alta que llegara en los primeros sesenta y originara la prosperidad económica de Miami y que nada tuvo que ver, en cuanto a inserción y futuro, con el resto de grupos inmigrantes latinoamericanos en Estados Unidos (Campa, 1999).

ricanos perdieron la partida frente al hábil negociador que es Fidel Castro y hubieron de fletar barcos para trasladar al resto de los solicitantes de asilo y costear, entre 1965 y 1973, varios vuelos semanales. En ocho años 265.000 cubanos se exiliaron en Estados Unidos (Larzarele, 1988). La segunda salida intensiva tuvo lugar en 1980 a través del puerto de El Mariel y tuvo su raíz en un sonoro detonante, provocado por el profundo descontento que se vivía en la isla tras años de represión. Los efectos de este suceso han sido señalados mayoritariamente por los intelectuales como de los más importantes en cuanto a la percepción de lo "revolucionario" y, específicamente, en cuanto a la identificación elaborada por el discurso ideológico entre nación, territorio, estado, gobierno e identidad.

La década del 80 se abrió con una emergente "voz" en el seno de la sociedad, es decir, con un crecimiento del descontento debido a los retrocesos económicos y sociales. Se repetían los intentos ilegales de llegar por barco a Florida, donde eran asilados por los americanos. Las amenazas del gobierno cubano a los norteamericanos revelan la tensión existente, tensión que Fidel Castro debía eliminar si quería evitar poner en peligro su gobierno.

> Les hemos pedido (al gobierno de EEUU) que tomen medidas... y esperamos que las tomen. Si no es así, entonces tendremos que tomar nuestras propias medidas. Les hemos recordado que una vez ya abrimos Camarioca... Esperamos no tener que tomar medidas como estas de nuevo.[2]

El 1 de abril de 1980 seis personas que viajaban en autobús lograron burlar el cerco con que la policía cubana protegía las sedes diplomáticas, especialmente las de los países no alineados con la URSS, y entraron en la embajada de Perú en La Habana. Uno de los policías resultó muerto y el gobierno cubano hizo responsable de ello a Perú y exigió la "repatriación" de los culpables. Paralelamente, otro grupo de personas hace lo propio en la Embajada de Venezuela (de nuevo con el saldo de un muerto). La reacción de Fidel contra los países implicados no se hace esperar: críticas feroces y la retirada de la protección a la Embajada de Perú. De esta manera, Castro había encontrado la excusa para liberar la tensión: la invitación a los cubanos descontentos a que se

---

[2] En Wayne Smith (1987). Citado por Colomer, 1998: 13.

marcharan fue radiada. En un par de días se produjo una avalancha humana hacia la sede diplomática. Pese a las declaraciones de Fidel, las calles circundantes se cerraron y grupos paramilitares y los Comités de Defensa de la Revolución (CDR) montaron una estrecha y vejatoria vigilancia. De nuevo estamos ante un ejemplo de emisión comunicativa de doble vínculo; dos mensajes en contradicción: sois libres para salir del país/existe un castigo para quien lo intente, con la consecuente angustia del sujeto víctima que queda imposibilitado de romper la contradicción. A pesar de todo, el 8 de abril se habían introducido en la Embajada 10.800 personas[3] que vivieron el proceso en condiciones lamentables. Gobiernos internacionales (Estados Unidos, Perú, España, Costa Rica y Ecuador) decidieron colaborar en la resolución de la crisis aceptando cierto número de refugiados, pero la invitación que Castro hizo a Miami de que vinieran a buscar a sus familiares modificó el reparto trazado. Los refugiados fueron conducidos al puerto de El Mariel, cercano a La Habana, adonde tenían orden de dirigirse las embarcaciones fletadas desde Miami. Mientras tanto, se creaban las "Oficinas de la Escoria" donde los cubanos, armados de un inefable valor, debían verificar que eran reclamados por sus familiares o, en su defecto, demostrar que eran indeseables para la sociedad cubana: homosexuales, delincuentes, tarados, pederastas, jugadores, drogadictos u otro tipo de "pervertidos". Una vez admitidos (no todos lo lograron) debían esperar a ser trasladados al puerto de salida. Esa espera suponía sufrir el escarnio que infligían los CDR o las hordas callejeras (muchas estimuladas por los mandos) en lo que se conocía como "mitin de repudio", práctica efectuada hasta los años 90, donde se insultaba y agredía a quienes habían decidido marcharse o habían sido declarados contrarrevolucionarios[4]. A pesar de que el gobierno de Estados Unidos tomó medidas restrictivas, la salida se prolongó hasta el mes de septiembre y concluyó con la salida de 125.000 cubanos. Si el gobierno cubano utilizó este puente marítimo para vaciar cárceles y centros psiquiátricos, y para deshacerse de miembros de la comunidad que no eran considerados dignos, como los homosexuales, la mayoría de los exiliados era, sin embargo, ciudadanos que deseaban salir del país. El acontecimiento tuvo consecuencias inde-

---

[3] La cifra fue dada por los funcionarios de la Embajada. *Diario 16* (12.04.1980).

[4] David Lago ofrece un testimonio personal que da, sin embargo, una visión completa de lo acontecido.

lebles tanto fuera como dentro de la isla. Las escenas de desesperación en el asalto a embajadas, los mítines de repudio, y el trauma de la separación (ya no eran burgueses los que se iban, sino sujetos que habían tenido un papel activo en la revolución) desvencijaron la cohesión social. En Florida, los exilados afrontaron numerosas dificultades al llegar y tuvieron un tratamiento muy disímil al que recibieran sus compatriotas en el pasado, muchas veces inflingido por esos mismos compatriotas. El flujo de El Mariel no sólo cambió el perfil demográfico del Sur de Florida, sino también la percepción y estatus de la comunidad cubana en Estados Unidos. Uno de los testimonios más conmovedores es el que da el escritor Reinaldo Arenas en su autobiografía *Antes que anochezca.*

La política de Estados Unidos con respecto a los emigrantes cubanos ha sido mucho más cautelosa desde entonces. Radio Martí, emitiendo desde Miami, se sintoniza desde 1985 y, según Hirschman, promueve hostilidad contra Castro, pero también reduce el ansia de salida en la medida en que el "paraíso soñado" entra, vía ondas hertzianas, en lo cotidiano.

Como se ha dicho, este suceso destruyó la retórica política sobre la unidad y estabilidad de la sociedad cubana e impuso una nueva, aunque privada, elaboración de los conceptos de identidad y fidelidad. El rencor y la tristeza por el trato infligido quedaba tanto en las víctimas como en los verdugos, que en su mayoría eran, a su vez, víctimas del sistema de terror de la Seguridad del Estado –mecanismo de control invisible, pues puede encarnarse en cualquier individuo–. Fue el primer estallido social contra el Régimen de Fidel Castro. La Revolución empezaba a perder su carácter mesiánico, la teleología nacionalista perdía credibilidad ante los ojos de la sociedad que fue maltratada o presenció el maltrato de sus congéneres. Con respecto a esto dice el ensayista cubano Rafael Rojas:

> El discurso identificatorio y teleológico del nacionalismo revolucionario se rige por una lógica del cierre: el cierre de la nación en el espacio de la isla y el cierre de su historia en el tiempo de la Revolución. Para ese discurso no hay nada más allá del territorio cubano, ni nada más allá del Castrismo. Dos entidades son hipotecadas en semejante metarrelato, una temporal y la otra espacial: el futuro y la diáspora. (1998:10)

El discurso del gobierno cubano sigue identificando las nociones de "nación" y "revolución", de "identidad" y "pronunciamiento político". Es ésta una "maniobra conceptual" que ha puesto al servicio de un presunto código ético, emanado de la historia de Cuba, "la singularidad, el espacio y los fragmentos para privilegiar las magnitudes cronológicas férreas, los discursos universales y la totalidad" (Nuez 1995: 26).

Antes de que el siglo cambiara y debido, por un lado, al alto índice de población exiliada, entre un quince y un veinte por ciento que en el caso de los intelectuales y artistas aumenta considerablemente (Nuez 1998c: 28), y por otro, al desgaste del discurso ideológico del gobierno revolucionario, la nación y la cultura cubana se "desterritorializan" y "transterritorializan". El control del régimen revolucionario ha perdido su efectividad debido a la necesidad de cambios descentralizadores que no han acabado de llevarse a cabo. Si una vez escaso, el diálogo entre exiliados y residentes en Cuba no sólo es constante, sino fluido, lo que ha diluido el estigma del exiliado.

El último de estos flujos migratorios tuvo lugar en agosto de 1994 y hasta hoy ha sido la última manifestación pública de descontento y protesta. La situación crítica que se vivía en Cuba desde la caída del bloque socialista, denominada por el gobierno "periodo especial en tiempos de paz", había llevado a los cubanos a intentar huir desesperadamente hacia Florida en balsas o en embarcaciones secuestradas. En junio de ese año cien personas se refugiaban en la residencia del embajador de Bélgica en La Habana, y en menos de un mes otros grupos entraban en las sedes diplomáticas de Alemania y Chile. En julio fueron varias las embarcaciones secuestradas con el objetivo de desviarlas a Miami, algunas de ellas fueron las pequeñas lanchas que cubren el trayecto de la bahía de La Habana. El caso más trágico lo supuso el secuestro de un remolcador marítimo el día trece de ese mismo mes, ya que al intentar ser rescatado por otros remolcadores se produjo una colisión que se saldó con treinta y dos muertos[5]. El día 5 de agosto, fecha clave en la más reciente historia cubana, un número de personas que es difícil de precisar[6], se concentró en torno al Malecón y espontáneamente se origi-

---

[5] *Vid. Granma*, 23 de julio 1994.

[6] Todo parece indicar que se podían calcular en miles, aunque ni siquiera integrantes de la revuelta son capaces de calcularlo por lo confuso de la situación. Parece

nó una protesta con gritos contra Fidel y contra la Revolución. Los manifestantes atacaron con piedras el Hotel Deauville y diversos establecimientos en dólares, recintos a los que el cubano tenía acceso restringido y donde se podían adquirir con dólares productos no disponibles en el mercado interno cubano. Para aliviar la tensión que se vivía en todo el país, el 12 de agosto el gobierno cubano abrió sus fronteras; los guardacostas dejaron de patrullar y Estados Unidos recibió a los desesperados y hambrientos vecinos. El panorama era desolador. Miles de personas repartidas por toda la costa colindante con La Habana, construyendo y echándose al mar en inestables plataformas flotantes. Ningún mitin de repudio tuvo lugar, por el contrario, era corriente brindar apoyo y buenos deseos a quienes marchaban.

Los Novísimos en aquel entonces formaban ya un grupo de artistas y escritores emergentes, y como el resto de su generación se lamentaban de la herencia que estaban recibiendo con frustración e impotencia. La generación anterior a ellos, la mayoría firmes creyentes de la Revolución en un pasado, veían cómo el futuro de sus hijos no existía en la Cuba que ellos mismos les habían construido. Este hecho aparece reflejado repetidamente en las obras artísticas y literarias de los últimos años pues ha sido especialmente traumático para los miembros de la sociedad cubana, tanto dentro como fuera de la isla.

El diecinueve de agosto el presidente norteamericano Clinton anuncia el fin de la recepción indiscriminada de cubanos en suelo americano y los interceptados en el mar son conducidos, en lo que ya venía siendo una costumbre, a la base militar de Guantánamo[7]. Las autoridades cubanas y norteamericanas llegaron a un acuerdo el nueve de septiembre y Cuba cerró de nuevo sus fronteras. Aproximadamente 33.000 cubanos fueron concentrados en la base de Guantánamo en espera de la resolución de Estados Unidos acerca de sus visados. Todavía hoy nos es imposible hacer una estimación fidedigna de las personas que realmente salieron de Cuba en el verano de 1994. No ha sido posible cuantificar cuántos llegaron a las costas de Miami sanos y salvos antes del

---

ser que coincidieron en la zona por el rumor de que una flota de barcos de Miami se acercaría al Malecón habanero. Las autoridades detuvieron a 300 personas.

[7] Entre 1991 y 1992 se habían interceptado 38.000 balseros que fueron repatriados directamente en su mayoría, sin esperar la confirmación de expedientes de asilo político.

acuerdo entre las administraciones de Cuba y Estados Unidos, ni tampoco cuántos murieron en el mar Caribe. Holly Ackerman (1997) menciona la cifra de 16.778 personas que llegaron a salvo a las costas de Florida antes del 12 de agosto (fecha a partir de la cual el gobierno permite la salida libre) y de 32.385 que salieron entre el 12 de agosto y el 13 de septiembre –fecha del acuerdo entre La Habana y Washington– de 1994. Ernesto Rodríguez Chávez (1997), miembro del CEA, habla, sin embargo, de la salida de 36.000 personas en el periodo de apertura de fronteras, es decir, entre el 13 de agosto y el 13 de septiembre, casi cuatro mil más que Ackerman.

DEL PROCESO DE RECTIFICACIÓN DE ERRORES AL PERIODO ESPECIAL

Si los movimientos migratorios y su espectacular impacto social han sido un barómetro del estado emocional de la sociedad cubana, buena parte de los problemas nacen de la catastrófica situación económica producida por la ausencia de socios económicos tras la desaparición de la Unión Soviética, por el embargo económico impuesto y férreamente ejecutado por Estados Unidos y, por supuesto, por la política del régimen en materia económica y de seguridad.

Tal y como señala Carmelo Mesa-Lago (2004a), la política del gobierno cubano ha descrito un crónico movimiento pendular entre la aplicación rígida de la planificación central y el aperturismo de mercado, sirviendo esta última medida como alivio a la crisis que siempre ha seguido a la primera. El economista se refiere a estas etapas como "idealistas" y "pragmáticas" respectivamente, y señala los efectos negativos que han tenido tanto en la economía como en la sociedad. No obstante, ha sido éste uno de los mecanismos que la Revolución ha venido utilizando para evitar que el desgaste operado en el pueblo desembocara en una protesta trascendente, es decir, el pragmatismo (política de mercado, inversión extranjera…) ha sustituido a la pureza ideológica cuando de mantenerse en el poder se ha tratado.

En 1986 se inició uno de esos cambios del sentido del péndulo para acabar con ciertas medidas aperturistas del quinquenio anterior: mercado libre campesino, servicios privados y trabajadores autónomos en pequeña escala, inversión extranjera, que habían supuesto de alguna manera la recuperación de la economía cubana. A esta política se la denominó Proceso de Rectificación de Errores ya que el gobierno entendía que el modelo de mercado había generado corrupción y debilitamiento de la defensa de la Revolución. Implicó el cierre de fincas privadas y la erradicación de los mercados libres campesinos. En 1988, el 84% del comercio se realizaba con los países del COMECON y bajo condiciones extremadamente favorables y, casi podríamos decir, irreales (Mesa-Lago, 1994 y 2004b). No es de extrañar que la caída del muro de Berlín, y con él del bloque socialista, significara un auténtico choque estructural que afectó a la vida del cubano en todos sus órdenes y que produjo la mayor crisis económica vivida en el país. Si peso del bloqueo económico estadounidense estaba en la base de la crisis, el problema excedía con mucho los límites que éste imponía. La economía cubana había sido planificada en cuanto a su dependencia de la URSS y en función de ello se cometieron negligencias de catastróficas consecuencias. Con el 60% de la industria nacional paralizada, la escasez de bienes de consumo básicos y el endurecimiento del embargo, el gobierno cubano se ve obligado a iniciar una etapa "pragmática" de tímida apertura hacia el mercado internacional que se ha denominado "Periodo Especial en tiempos de Paz".

La reestructuración de la economía era una necesidad que pedían los propios economistas cubanos. En 1992, Julio Carranza, subdirector del Centro de Estudios sobre América se atrevía a afirmar que la génesis del estado catastrófico en que vivía la nación no estaba en el año 89 y la caída del Muro, sino en 1986 cuando la política de economía interna había insistido en modelos inservibles y, al mismo tiempo, había frenado el desarrollo comercial con el argumento de la crisis de la deuda externa. Las medidas que se tomaron para salir del estado de emergencia pasaron por permitir el cultivo agrícola doméstico y la venta de su producto, y la creación de pequeños negocios, la mayoría de carácter doméstico. Estructuralmente condujeron a la apertura de Cuba hacia la inversión extranjera y el turismo, y en términos generales la situación en 1996 había superado los umbrales críticos que se alcanzaron en los primeros noventa. Sin embargo, el impacto de estas medidas económicas tuvo severas consecuencias en los valores y estructuración sociales. Fundamentalmente nos referimos a la legalización del dólar en agosto de 1993, que inauguró un sistema bicéfalo de economía que se dividía y, al tiempo, dividía a los cubanos, en dos áreas: la de dólar y la de moneda nacional. Los cubanos que tenían acceso a la primera (gracias a la remesa o a vínculos con el turismo) pasaron a convertirse en clase social privilegiada. En segundo lugar, la reforma constitucional de julio de 1992 dio la posibilidad de crear empresas mixtas, asociaciones económicas y cooperativas rurales (llamadas Unidades Básicas de Producción Campesina) que abrieron perspectivas laborales en diversos sectores. Asimismo, la ley de Inversiones Extranjeras promulgada en 1995, vitalizó algunos sectores de la economía cubana, fundamentalmente el del turismo. No obstante, se inicia una diferenciación de acceso a bienes en función del área de trabajo. Si bien todos los trabajadores reciben su sueldo en pesos y directamente del gobierno cubano, aquéllos que tiene contacto con extranjeros obtienen ingresos paralelos que superan exponencialmente las dimensiones de los salarios.

Especialmente, el fomento y desarrollo del área turística se convierte en una prioridad económica en los primeros años noventa. Precisamente buena parte de las empresas de capital mixto se crean dentro del sector turístico, que progresivamente va haciéndose más importante en el crecimiento del producto interior bruto (Mesa-Lago, 1998 y 2004b). Según Jorge I. Domínguez (1997), este fenómeno acerca el régimen de La Habana al resto de sistemas capitalistas totalitarios latinoamericanos que han concedido monopolios y enclaves económicos a capital extranjero. El contacto de los cubanos con los extranjeros se ha producido en un contexto de desequilibrio que ha provocado fenómenos antes casi invisibles como el de la prostitución y la violencia. En los años noventa el turismo específicamente de carácter sexual empieza a llenar aviones procedentes de toda Europa y Canadá, y ha sido utilizado como fuente de ingresos y como posibilidad de salida (Fusco, 1998; Hodge, 2001). El arte y la cultura, como en muchos otros países del área del Caribe y en vías de desarrollo, se pusieron al servicio de esta emergente industria: varias de las antologías de cuento publicadas por editoras europeas han tendido a fomentar temas vinculados con el sexo, así como las obras visuales han trabajado la imagen estereotípica que el turista tiene del país y de la cultura. El turismo en estos términos ha incitado el crecimiento de actividades comerciales ilegales y también una antes inexistente inseguridad. El sistema igualitario de distribución de riqueza que había primado durante las décadas pasadas se vino abajo con las reformas necesarias para levantar la economía. Los cubanos han sufrido duramente los arbitrarios criterios que han primado en el acceso a bienestar económico de los últimos años. Por ejemplo, los perceptores de dólares en función del turismo (taxistas, trabajadores sexuales, propietarios de casas en alquiler o de comidas) tenían en 1995 un sueldo entre 228 y 400 veces superior a un trabajador de élite (personal médico, universitario, etc.) y hasta 825 veces superior al salario medio. Estos aspectos fueron criticados por los Novísimos en muchas de sus obras, donde se planteaba la necesidad de una reestructuración urgente que evitara la penuria moral que sobrevenía de la económica y de la desigual distribución de recursos y posibilidades. Ciertamente, el "reajuste estructural" que se llevó a cabo entre 1993 y 1995, a pesar de que había mejorado la deteriorada situación económica del país, resultaba insuficiente y, además, había creado una llamativa desigualdad social. En 1995, Carranza, junto con otros dos economistas del CEA, vuelve a insistir en la necesidad de la reforma y publica una obra donde se expone la posible reconducción de la economía interna, dentro de los principios del socialismo. A pesar de despertar un enorme interés, la obra no abrió ningún surco en el discurso económico oficial. Como señala Hoffmann (1998),

> Más que cualquier otra publicación anterior, el libro de Carranza/Gutiérrez/Monreal demostró el elevado nivel de propuesta política y la alta calidad científica con que se podía escribir en Cuba sobre la crisis que atraviesa el país, y más aún, sobre las alternativas posibles a la actual política del gobierno. Sólo tenía una falla: la publicación del libro no abrió un amplio debate como había sido la intención de sus autores, sino que en retrospectiva el libro significó el apogeo de esa "primavera académica" declarada *temporada non grata* por el Buró Político. (72)

El gobierno cubano, sin embargo, no sólo frenó en buena parte el desarrollo y mejora de los cambios emprendidos en los primeros años noventa, sino que, hasta hoy, ha rechazado emprender una reforma significativa, debido al conflicto ideológico que eso supondría y la consecuente pérdida de poder efectivo sobre los individuos y el conjunto de la sociedad. Este permanente ejercicio de contención llevó a muchos de los jóvenes a definitivamente perder la esperanza en un cambio orgánico y a optar por el exilio. La mayor parte de los Novísimos abandonan Cuba bien como consecuencia de la crisis de los primeros noventa o bien como consecuencia de este cierre de perspectivas. Desde entonces, la sanidad, el sistema educativo, el pleno empleo y las pensiones se sostienen sobre andamios precarios. El exilio de profesionales cualificados como médicos, ingenieros y profesores ha agravado la situación de escasez de medios y materiales. A pesar de los innegables esfuerzos de resistencia llevados a cabo por el régimen cubano (Carmona, 2004), las áreas que fueran el mérito y el sostén de la Revolución han perdido gran parte de su eficacia.

Por otra parte, sería imposible negar la responsabilidad que la política y gestión norteamericana han tenido y tienen sobre la situación cubana. El endurecimiento del embargo entre 1995 y 1996, con las leyes Torricelli II y Helms-Burton, y desde el año 2000, tras la victoria electoral de George W. Bush (Haney y Banderbush, 2005), no sólo han sido causa de escasez y penuria económica, sino que justifican la posición del régimen de La Habana (Pérez-Stable, 1993, 1998).

LAS CAMPAÑAS DEL INTERNACIONALISMO

Uno de los temas recurrentes en el cuento y la obra plástica es la intervención armada en Ángola. El gobierno de la Revolución cubana estableció una política exterior de ayuda y apoyo a revoluciones, guerrillas o sistemas socialistas en América, África y Asia, siempre y cuando ésta no afectara a la seguridad de la propia isla (Castro, 1976: 131). Jorge I. Domínguez (1989) señala que el Internacionalismo es asumido como un paso más en la lucha contra el Imperialismo en términos transnacionales, trascendiendo la simple oposición entre Cuba y los Estados Unidos. No obstante, esta política estaba regida por los principios de "prioridad" y "negociación" que primaban en las relaciones bilaterales entre dos estados. Éstos permitieron que Cuba mantuviera relaciones con países de la órbita capitalista, siempre que éstos no favorecieran la política norteamericana en su contra (tal fue el caso de las relaciones cubanas con el régimen de Franco en España). En opinión de Domínguez, existe también un principio de "liderazgo" que ha provocado numerosas rupturas entre Cuba y movimientos revolucionarios que contravinieron las normas castristas y negociaron antes de llegar a la victoria a través de la lucha armada, tal fue el caso de Nicaragua. Los efectos de esta política movilizaron a millares de cubanos (militares y civiles) que se dispersaron por todos los rincones de América, África y Asia.

En el análisis sobre *habitus*, las campañas de Angola y Granada fueron mayoritariamente señaladas por los agentes sociales, pues sus consecuencias desvirtuaron el credo ideológico revolucionario, en el sentido de que sirvieron para que la sociedad cuestionara el significado y el valor de exportar la Revolución. El saldo de muertos y desaparecidos, sobre todo en la campaña de Angola, originó un nuevo orden emocional con respecto al régimen que surgía del terreno de la tragedia personal e íntima. Por otra parte, y como señala Richard Gott, a pesar de las pretensiones africanistas de la empresa, ninguno de los mandos era de raza negra, aunque sí lo fueran muchos de los integrantes de la tropa. Cuento y pintura reflexionan sobre la pérdida de vidas desde una perspectiva íntima y nada épica, así como analizan la convulsión social que supuso el reclutamiento (en un momento dado se hizo obligatorio y se recurrió a los reservistas) que llegó a fundarse en los bienes materiales que proporcionaba.

La intervención en Angola tiene su origen en 1975, cuando el país consigue su independencia de Portugal y se sumerge en una guerra civil. El Movimiento Popular para la Liberación de Angola (MPLA), de orientación marxista y liderado por Agostinho Neto, y su brazo armado, las Fuerzas Armadas Populares para la Liberación de Angola (FLAPA), se enfrentaron a las fuerzas de liberación con presupuestos capitalistas y apoyados por Estados Unidos (a través de la CIA, Zaire y Sudáfrica): el Frente Nacional de Liberación de Angola (FNLA) y la Unión Nacional para la Independencia Total de Angola (UNITA). El MPLA pidió ayuda a Cuba, en vista de que los grupos independentistas capitalistas ya la habían recibido de tropas sudafricanas[8]. La presencia de Sudáfrica en Angola le daba a Cuba la legitimidad internacional para ejecutar la intervención. En octubre de 1975, antes de que fuera efectiva la independencia del país africano, que había sido pactada para el 11 de noviembre, llegaron los primeros cubanos (instructores militares). Poco después, un ejército de 36.000 cubanos ayudaba al FLPA a conseguir la victoria. En 1976 Sudáfrica se retiró, una vez que Estados Unidos había sido derrotado en Vietnam y no contaba con el apoyo de su sociedad para una nueva intervención en el Tercer Mundo. No obstante, a pesar de la victoria del MPLA, las luchas con la UNITA, ayudada por

---

[8] *Vid. La guerra de Angola*, La Habana, Editora Política, 1989.

Sudáfrica, persistieron durante más de una década en la que se mantuvo la presencia militar cubana. A lo largo de 12 años se desplazaron a Angola 300.000 internacionalistas cubanos y la presencia militar nunca fue inferior a 18.000. Los cooperantes civiles también desarrollaron un papel fundamental en la constitución del nuevo gobierno de la nación africana. Hasta 4.000 profesores pasaron por Angola y extendieron la campaña de alfabetización cubana a tierras africanas, el mismo número de estudiantes angoleños llegaron paulatinamente a Cuba para instruirse. De no menor importancia resultó la ayuda médica cubana y la de construcción de edificios civiles. El saldo de muertos y desaparecidos ascendió a 10.000 personas[9] y su repatriación supuso un largo duelo que conmovió a la sociedad cubana. En opinión de Domínguez el saldo de muertos fue mínimo, si se tienen en cuenta las características de la lucha y el volumen de contingente militar desplazado. De la misma opinión es el profesor William M. Leogrande (1980) para quien el conjunto la intervención cubana en Angola puede considerarse un éxito en términos de rentabilidad bélica.

> En términos generales y desde la perspectiva cubana, la intervención en Angola fue un éxito. Los costes fueron mínimos y los beneficios sustanciales. Se explica así quizá por qué los cubanos decidieron repetir su intervención en Etiopía. (34, mi traducción)

Para Domínguez, Angola es el único caso en la historia del Internacionalismo en que el apoyo de las Fuerzas Armadas Cubanas contribuyó decisivamente a la victoria final de un movimiento revolucionario: "En treinta años de intervencionismo, Cuba se pudo atribuir pocas victorias basándose sólo en sus propios esfuerzos. Exportar la revolución es simplemente difícil." (1989: 142, mi traducción). Sin embargo, en opinión de los cubanos, el precio fue demasiado alto. La duración de la campaña y el alto número de cubanos que perdieron la vida (la mayoría entre 1975 y 1976) afectaron a muchas familias e individuos que han cuestionado la utilidad de los sacrificios y esfuerzos perdidos.

Juan F. Benemelis (1988) considera que tanto la intervención en Etiopía como la operación Carlota de Angola

---

[9] Todas las cifras proceden del estudio de Jorge I. Domínguez.

[...] se inscriben además en las acciones de Fidel Castro por reafirmar su dirección personal en el proceso cubano ante las nuevas generaciones que tratan de hacerse espacio interno y la necesidad de poseer una carta a favor de los soviéticos.

Además de concederle la posibilidad de presentar ante el pueblo y la burocracia un triunfo personal, tras sus evidentes fracasos de los años 60 y el descalabro de la zafra azucarera decimillonaria de 1970". (357)

A pesar de que la ayuda soviética llegó a cuadriplicarse a partir de entonces, el daño económico que causó la campaña de Angola está en la génesis de la crisis financiera y política que desembocó en el éxodo de 1980. El desajuste del tejido social que toda guerra produce es una constante histórica y, de todas las campañas militares intervencionistas, Angola realmente se vivió como "guerra propia" en tanto que afectó a una parte importante de la población cubana. La tesis de Benemelis presenta coherencia histórica pues no es novedoso que la tensión provocada por una contienda haya sido utilizada para disimular los problemas internos de un país. No obstante, como ocurrió en Cuba, esas mismas luchas generan nuevos problemas que se incorporan a los anteriores y afloran una vez terminado el conflicto. La violencia que caracterizó los momentos que precedieron a la ocupación de la Embajada de Perú, la intensidad de la revuelta y del éxodo parecen ser consecuencia directa de la guerra de Angola y de todo lo que se solapó con ella.

Por otro lado, la colaboración de Cuba con la Revolución en la pequeña isla caribeña de Granada comenzó formalmente en marzo de 1979 cuando el New Jewel, movimiento revolucionario de corte comunista encabezado por Maurice Bishop, derrocó al presidente Gairy y estableció el Gobierno del Pueblo Revolucionario (PRG). Gran parte de la ayuda que Cuba destinó a Granada fue en forma de material, infraestructura y medios de construcción destinados al proyecto del aeropuerto de Point Salines, que fue una obra altamente valorada por el pueblo de Granada. Parte del equipamiento militar y del entrenamiento de las tropas granadinas también tenía su origen en Cuba, así como un importante contingente de médicos y maestros (la revolución cultural va estrechamente unida a la política). Fidel Castro asesoró a Maurice Bishop como nuevo Primer Ministro hasta el punto de trabar una amistad notable con él. Cotman (1993) demuestra cómo la ayuda cubana resulta fundamental para la consolidación de la revolución socialista en Granada, señalando especialmente el respeto cubano con la política interna de la isla frente a la brutal injerencia norteamericana.

El gobierno del New Jewel sufrió una crisis interna acompañada de cisma en 1981; según Cotman ésta fue provocada en gran medida por el bloqueo estadounidense que impidió la entrada en Granada de ayudas financieras (incluso procedentes de Europa). En octubre de 1983 una facción que comprendía parte del ejército, del gobierno y del New Jewel y estaba comandada por el Primer Ministro en funciones, Bernard Coard, dio un golpe de estado. Cuando el pueblo, que mayoritariamente apoyaba a Maurice Bishop, salió a la calle en protesta fue disuadido por las armas; poco después Bishop y algunos de sus ministros eran fusilados. Se inició así un gobierno de corte estalinista que no contaba con la simpatía de los internacionalistas cubanos en misión en Granada, sin embargo las órdenes de Fidel era terminar la construcción de Point Salines.

Con la intervención norteamericana los planes tuvieron que ser modificados. En vísperas de la invasión norteamericana, los cubanos se refugiaron en las cercanías del aeropuerto y pactaron con las tropas afines al nuevo gobierno que éstos no se acercarían a ellos ni los comprometerían en ningún momento o, en caso contrario, abandonarían Granada inmediatamente. El día 22 de octubre el gobierno cubano entregó un informe confidencial en la Sección de Intereses Norteamericanos en La Habana en el que expresaba su deseo de no intervenir en el conflicto y declaraba que el personal cubano en la Isla se mantendría, como había hecho hasta ahora, al margen de los disturbios. No hubo respuesta hasta el día 25, una hora y media después de la invasión y del ataque al contingente cubano[10]. El coronel Pedro Tortoló, que dirigía las Fuerzas Armadas Revolucionarias de Cuba en Granada desde 1982, había regresado a Granada dos días antes y no había previsto en ningún momento la posibilidad del ataque. Cuando éste sobrevino los casi 800 miembros del contingente cubano (de los que únicamente unos 50 eran militares) estaban desprevenidos, sin armas y sin municiones en su mayoría. Castro descartó la posibilidad de una contra-intervención por cuestiones pragmáticas ya que la fuerza militar de Estados Unidos des-

---

[10] Vid. "Declaración del partido y del gobierno de Cuba sobre la intervención imperialista de Ganada", *Granma Internacional* (30.10.1983).

plazada en todo el Caribe era de gran potencia, y, siguiendo sus declaraciones, por respeto a la norma de no intervención. Pese a que las órdenes de La Habana eran combatir si eran atacados y que "no se rindieran bajo ningún concepto"[11] Tortoló y el resto de los oficiales entregaron sus armas a los americanos pocas horas después.

　¿Qué fue lo que hizo que este episodio se grabara en la mente de muchos cubanos? ¿Por qué fue considerado clave para la credibilidad del discurso ideológico revolucionario? Ciertamente la comunicación entre Granada y Cuba fue prácticamente nula y gran parte de las noticias llegaban a Cuba por vía indirecta. Los norteamericanos habían prohibido la presencia de la prensa internacional, "por cuestiones de seguridad", y, tras la invasión, las comunicaciones entre los cubanos en Granada y su gobierno fueron anuladas. No obstante, en La Habana siempre creyeron que sus órdenes serían cumplidas y por ello se anunció la muerte e inmolación de la mayor parte del contingente internacionalista. El coronel Tortoló fue recibido con honores de héroe, pero la sospecha de que se habían rendido se hizo evidente poco después, una vez que se comprobó que aún quedaban cubanos en Granada, lo que contradecía las declaraciones que el propio coronel había hecho. La llegada en noviembre de los más de 700 internacionalistas y de los "únicos" 24 muertos puso de manifiesto que no se había producido combate alguno. Se nombró una comisión de investigación de las Fuerzas Armadas que en poco tiempo dio con la verdad de los hechos acontecidos. El coronel fue degradado en un acto público presidido por Raúl Castro, jefe de las FAR. Este hecho socavó la imagen y el paradigma de heroicidad del revolucionario y, por ende, de la Revolución. Se abrió una fisura en la teleología del discurso ideológico del poder que, en virtud de la amenaza norteamericana, había sometido a muchos sacrificios y esfuerzos militares al pueblo de Cuba. La invasión de Granada se percibió como una posible invasión de Cuba ante la que, a pesar de la militarización de la sociedad, la rendición sería la salida más coherente y probable.

　Muchos de los jóvenes escritores recuerdan este capítulo de la historia cubana con cierta dosis de humor y de ironía, pues la pantalla de

---

[11] Conferencia ofrecida por Fidel Castro el 26 de octubre, *Granma Internacional* (6.11.1983).

heroicidad montada por la prensa oficial acabó ridiculizando la excelente labor de los internacionalistas en Granada.

EL CASO OCHOA

El último de los acontecimientos señalados por los Novísimos como fundamentales a la hora de entender la validez del discurso ideológico revolucionario, fue el juicio y fusilamiento del general Arnaldo Ochoa Sánchez Ochoa y de otros militares de alta graduación. El caso saltó a la luz el 14 de junio de 1989 a través del *Granma*, órgano oficial del Partido Comunista de Cuba, como consecuencia directa de la destitución y arresto, ocurridos el día anterior, del entonces Ministro de Transporte y Vicepresidente del Consejo de Ministros Diocles Torralbas que fue acusado de corrupción y manejo ilícito de recursos[12], exactamente la misma acusación que recayó después sobre Arnaldo Ochoa. Las faltas cometidas atentaban, según la prensa política, no sólo contra la legalidad, sino también contra la moral socialista. Ochoa era militante histórico de la Revolución, había formado parte de la columna de Camilo Cienfuegos y del contingente movilizado en la lucha internacional en apoyo del Socialismo, tanto en los diferentes países latinoamericanos como en África, donde fue jefe de las Fuerzas Armadas en Angola y Etiopía. Desde 1983 tenía responsabilidades en las altas esferas de las Fuerzas Armadas Revolucionarias y contaba con gran prestigio y libertad en lo referente a sus operaciones militares y su financiación. Este último aspecto nunca ha sido esclarecido por el gobierno cubano que no aportó ni un solo dato acerca de cómo se llevaba (o debía llevar) a cabo la financiación de las misiones internacionalistas. A su regreso de la campaña de Angola fue condecorado y nombrado héroe de la República. Contaba con el apoyo del ejército y con el favor del pueblo, que veía en él un paradigma de "hombre nuevo": inteligente, valiente, dotado para la gestión y con carisma. La acusación que contra él se realizó fue la siguiente:

---

[12] Los artículos de prensa publicados en Cuba sobre el proceso así como las transcripciones de los juicios y los veredictos se encuentran en *Causa 1/89. Fin de la conexión cubana*, La Habana, Editorial José Martí, 1989, que se utiliza para las citas que siguen a continuación.

> Independientemente de graves faltas de carácter moral, disipación y corrupción de Ochoa, que no corresponde propiamente juzgar a los tribunales de justicia, a grandes rasgos los hechos a que nos referimos implican su responsabilidad en corrupción de oficiales subordinados y su conducción a hechos delictivos; uso indebido, apropiación, malversación, despilfarro y malgasto de divisas convertibles, y afán desmesurado de acumular y manejar fondos. Además, lo que constituye un hecho mucho más grave y sin precedentes en la historia de la Revolución: Ochoa y algunos funcionarios del Ministerio del Interior en conexión con él, hicieron contactos con traficantes internacionales de drogas, concertaron acuerdos, [...] cooperando con algunas operaciones de tráfico de drogas en las proximidades de nuestro territorio. (17)

La acusación de narcotráfico era, sin duda, la más grave, ya que el discurso revolucionario siempre había asociado la droga a la dinámica capitalista y había instaurado duras medidas de control y una legislación penal muy rigurosa al respecto. Curiosamente, Raúl Castro, en su intervención en el Tribunal de Honor que juzgó a Ochoa, declaró que éste sobreestimó sus facultades en la negociación de bienes para la financiación de la tropa en Angola y llevó a cabo prácticas altamente lucrativas fuera de los marcos de la legalidad. Éstas le dieron la posibilidad de mantener a los oficiales y a la tropa contentos (por medio de regalos y recompensas), lo que le granjeó mayor popularidad, así como el favor de la mayor parte de los miembros del ejército.

La intervención final de Ochoa también despertó muchas sospechas entre el pueblo cubano que asistió expectante y conmocionado a todos los pasos del caso.

> ...comparto la opinión de todos en lo que se ha dicho hasta este momento, que creo se ha hecho una valoración justa y meridiana de la realidad; [...] creo firmemente, conscientemente en mi culpabilidad y si aún puedo servir aunque sea de un mal ejemplo, la Revolución me tiene a su servicio, y si esta condena, que puede ser por supuesto el fusilamiento, llegara, en ese momento sí les prometo a todos que mi último pensamiento será para Fidel, por la gran Revolución que le ha dado a este pueblo. (61-62)

Como en otros juicios del periodo estalinista en Rusia, el inculpado asumía su responsabilidad sobre los hechos y se proponía como ejemplo en negativo para la causa revolucionaria. Las razones que llevaron al General a hacerlo pudieron ser las mismas que obligaron a Padilla unos años antes a leer su famoso discurso auto-inculpatorio. En este

caso, no había espacio para la ironía, el tribunal militar y la pena propuesta no albergaban resquicio para otro tipo de confesión. No existen
todavía análisis independientes del proceso, pero el pueblo de Cuba
esperaba el indulto de la pena máxima y parece ser que el propio acusado también. Así se explican las últimas palabras de su intervención. No
hubo tal. Tras el juicio sumarísimo el Tribunal Militar Especial dictó
pena capital para Ochoa y tres de sus colaboradores directos, miembros
del Ministerio del Interior y de las F.A.R., los diez implicados restantes
recibieron penas de 30 (6), 25 (3) y 10 (1) años. La sentencia fue ejecutada el 13 de julio de 1989.

Hay que tener en cuenta que esto sucede en pleno Proceso de
Rectificación de Errores que, como hemos visto, puso punto final al
aperturismo comercial llevado a cabo entre 1971 y 1985. En un análisis
histórico se percibe el fusilamiento de estos hombres como una más
de las medidas tomadas para evitar la descentralización del poder y el
posible derrumbe del sistema monopartidista y totalitario. Para
muchos cubanos el testimonio de Fidel Castro y de su inocencia es
altamente dudoso y se perciben otros motivos como verdaderos cau-
santes del procesamiento. Hasta el día de hoy se cuestiona el hecho de
que ninguno de los Castros estuviera al corriente de las operaciones
ilícitas llevadas a cabo por Ochoa para la financiación de la campaña
angoleña. Se ha hablado de un posible golpe de estado maquinado
por Ochoa y alentado por el respaldo de una buena parte del ejército.
Lo cierto es que, como en otros aspectos de la historia reciente de
Cuba, aún no existen datos objetivos al respecto. Norberto Fuentes, el
único escritor que intimara con la elite política y fuera cronista de un
número importante de campañas bélicas, defraudó las expectativas
que prometía cumplir al respecto con la publicación de la obra en que
trabajaba desde su salida de Cuba en 1994. Aunque la información
que maneja Fuentes en *Dulces guerreros cubanos* es de primera mano, el
tono, el punto de vista y la perspectiva merman la credibilidad de lo
expuesto. Ciertamente refrenda las hipótesis que acusaban a los hermanos Castro no sólo de conocer, sino también de dirigir y controlar
los negocios de narcotráfico; también confirma la decadencia de un
líder que recurrió a la eliminación de sus colaboradores más íntimos
cuando éstos podían hacerle sombra. El hecho de que las campañas
internacionalistas hubieran finalizado desmovilizaba a un ejército

que, bajo las órdenes de sus experimentados mandos, se convertía en potencial enemigo del régimen.[13]

El caso Ochoa es el más espectacular de los dramáticos aconteci-mientos que sacudieron los cimientos de la sociedad cubana revolucio-naria, sobre todo gracias a la escenificación que de él se hizo en la televi-sión cubana. Es uno más de los hechos que despertaron en los agentes sociales escepticismo y falta de confianza ante el discurso ético y político elaborado por el gobierno de Fidel Castro[14].

---

[13] Elisabeth Burgos (2000) publicó una exhaustiva reseña del libro de Fuentes donde expone la contradicción existente en la crítica que realiza el autor a un sistema de valores éticos en el que él mismo se sitúa. Por el contrario, se puede también percibir que la fuerza del libro radica precisamente en que el autor no se arrepiente ni retracta, como es costumbre entre los exiliados que un día formaron parte del poder, y habla del grupo de elite como uno de sus agentes, caído en desgracia ahora, pero mostrando tanto vicios como virtudes.

[14] Para una visión completa de este suceso resulta imprescindible el documental de Orlando Jiménez Leal "8-A" y la versión escrita del mismo, *8-A: La realidad invisible*.

4. El desarrollo del campo cultural

Las artes plásticas

La década de los años ochenta abrió las puertas al mayor movimiento de artes plásticas que se diera en Cuba a lo largo del siglo XX. La crítica la ha denominado unánimemente "década prodigiosa". Como hemos apuntado anteriormente, los artistas que la integraron formaban parte de la primera generación que pertenecía por entero al proyecto de la Revolución, pues nacieron y se formaron dentro de ella. Tanto éstos como los escritores e intelectuales que les acompañan encarnan la Revolución en un amplio sentido, siendo quienes verdaderamente han incorporado e interiorizado su proceso. Todas sus tomas de posición, intervenciones públicas o manifestaciones artísticas se comprenden únicamente en el marco histórico revolucionario y en su devenir desde 1959. Una vez concluyó el éxodo de El Mariel, la revolución se vio en la necesidad de llevar a cabo una nueva política que reavivara el apoyo interno y mejorara su imagen internacional. El férreo control de los años setenta da paso a una apertura que beneficia al campo cultural y será la base del movimiento artístico y literario protagonizado por los Novísimos.

Es de justicia decir que la nueva política para el arte contaba con autoridades que creían firmemente en la necesidad de dar cabida a diferentes expresiones artísticas, silenciadas durante la década anterior. Fundamentalmente fue dirigida desde el debutante Ministerio de Cultura (1976) bajo las órdenes de Armando Hart, aunque la verdadera potencia operativa radicó en los centros de enseñanza artística y en sus docentes, muchos de ellos también artistas. El proyecto oficial se llamó "Renacimiento Cubano" y suponía una solución de continuidad a quienes se habían beneficiado de la excelente enseñanza artística que había provisto la Revolución a través de diversos centros artísticos[1]. Además

---

[1] La Revolución mantuvo y mejoró considerablemente la Academia de San Alejandro, fundada en 1818 y cuna de los más renombrados pintores de Cuba, entre ellos

del Centro Wifredo Lam, se abrió la Bienal de Artes Plásticas de La
Habana, de repercusión internacional. Se favorecieron las exposiciones
y proyectos sociales de arte joven, dándole un margen de confianza a la
ruptura y a la transgresión que sus obras presentaban en virtud de la
legitimidad que estos artistas se habían otorgado a sí mismos como continuadores del proyecto modernizador revolucionario. Dice a este respecto uno de los críticos especializados en el tema:

> ...la presencia de la esperada intelectualidad orgánica que venía a inmacular
> dos décadas de desatinos políticos internos y a silenciar el estado de penitencia
> en que aún vivían muchos de los artistas de los cincuenta-sesenta. [...] El arte de
> los ochenta se enviste de una legitimidad de autoría para nombrar las cosas que
> compite con el poder del Estado para connotar todas las posibles lecturas del
> contexto. (Osvaldo Sánchez, 1995:106)

Por otra parte, la crisis que precedió el éxodo de El Mariel había
puesto de manifiesto el estancamiento que sufría el sistema revolucionario en cuanto a la generación de posibilidades orgánicas, de ahí que la
nueva generación en escena se propusiera ofrecer alternativas, mante-
niendo la esencia modernizadora y emancipadora que blandió la bandera revolucionaria inicialmente. En la obra de estos artistas hay un propósito constructivo que enlaza, en cierto modo, con el relato moderno
inaugurado en el Iluminismo. Cuando a propósito de ella se utiliza el
término "postmoderno", es necesario matizar y ampliar la plural articulación que lo suele definir. La oposición establecida entre la Modernidad y la Postmodernidad es, por decirlo de una manera simple, relativa.
En el caso de los artistas cubanos no se presenta en términos drásticos,
sino como una suerte de continuidad. Los cambios históricos han ido a
la par, por necesidad, con los cambios culturales y un análisis serio no
debe excluir ninguno de estos aspectos ni tampoco focalizar uno de
ellos. En el polémico espectro que presenta el estudio del pensamiento
de finales del siglo XX, una voz disonante es la de Jürgen Habermas
(1990b), quien considera que el error nace del excesivo afán con el que

---

Wifredo Lam, y creó nuevos centros: la Escuela Nacional de Arte en 1962, centro de
notable importancia hasta su sovietización en los años setenta, por ella pasaron como
invitados pintores de la talla de Matta o de Antonio Saura, y el Instituto Superior de Arte
en 1976, sin duda el centro de mayor relevancia.

la Postmodernidad se ha definido a sí misma como "antimoderna". En consonancia con la teoría cultural de Bourdieu (Poupeau, 2000), Habermas considera que en muchos sentidos la Modernidad permanece aún inconclusa y que los grandes relatos perviven, aunque sometidos a los imperativos y modificaciones que las nuevas coordenadas históricas imponen. Entiende así que el deseo de discontinuidad y de establecimiento de nuevos valores asentados sobre lo transitorio, lo efímero y lo dinámico es una característica absolutamente moderna en tanto que revela la necesidad de concebir el presente como un espacio firme y puro. Los Novísimos participan de este deseo con el objetivo de dar un nuevo impulso, repensar y recrear un proyecto que se había agotado en las vías que se siguieron. Para el pensador alemán, el cansancio de Occidente, su condición exhausta y moribunda, está, no obstante, empapado de modernidad. Por ello, es posible la convivencia entre actitudes que teóricamente pueden ser calificadas de modernas y posiciones que, en las últimas décadas, se han dado en llamar postmodernas. Ambas se dan en un mismo grupo generacional y, en lo que toca a nuestro objeto de análisis, se presentan como una característica de las tomas de posición de artistas y escritores. Esta interpretación de la historia de las ideas y de la estética percibe que la Postmodernidad no ha sido más que el intento de completar el truncado proyecto de la Modernidad. Por tanto, el ejercicio de un arte que sea un exponente de la unidad entre lo cultural y lo social es efectivo para deshacer la ideología conservadora que pretende negar el arte y la filosofía como manifestaciones del hombre actual. Aunque resulte paradójico, Michel Foucault (1994), tan lejos habitualmente de los planteamientos de Habermas, coincidía también en la falacia del binomio modernidad/postmodernidad cuando se utiliza para delimitar formas del pensamiento (visiones del mundo, poéticas). En su opinión existe una continuidad, en cuanto a los planteamientos filosóficos, desde la Ilustración hasta nuestros días. A propósito de la asunción de estrategias postmodernas en Cuba, Iván de la Nuez (1991) señalaba que "aunque las prácticas han logrado abarcar las proposiciones estilísticas del nuevo arte insular, los intelectuales cubanos continúan marcados por una intención y toda una retórica moderna: emancipación, humanismo, ética, institución y hasta vanguardia" (31).

Por otra parte, el carácter ideológico que marca la obra de arte de este período en Cuba no le es en medida algún exclusivo. A propósito del arte de los años ochenta y noventa, Lucy R. Lippard (1984) ha señalado que "se sobreentiende que hoy todo arte es ideológico o que está instrumentalizado políticamente, tanto por la derecha como por la izquierda, con el consentimiento consciente o inconsciente del artista. No existe zona neutra." (29, mi traducción) Las prácticas artísticas que llevarán a cabo los artistas se insertan en un marco crítico que afecta específicamente a Cuba, pero que coincide con el carácter político que caracteriza tendencias y corrientes artísticas internacionales contemporáneas. En la misma línea, Howard Risatti (1990) entiende que el análisis de la obra de arte no puede pasar por alto el componente sociopolítico que la define y que, en este sentido, la teoría elaborada por la tradición marxista es fundamental. Siguiendo a Benjamin Buchloh, Risatti opina que el artista debe poner en tela de juicio el valor de la obra dentro del cerrado mundo del arte y atender al valor y la función que ésta tiene fuera de esa esfera y en relación con el público y con el mundo real. Se entiende, no obstante, que los valores artísticos le son intrínsecos a la obra de arte y el carácter social de la misma no va en detrimento de sus valores estéticos.

Enero de 1981 marca la "hégira" de la plástica cubana actual con lo que hoy se considera el más significativo de sus hitos artísticos: la exposición "Volumen I". Ésta formaba parte de una serie de muestras iniciada en 1977 y protagonizada por un emergente grupo de jóvenes artistas. En opinión de Luis Camnitzer (2003), "Volumen I" no fue la más radical de esas muestras, pero sí la más visitada, lo que dio pie a la controversia: uno de los críticos oficiales, Ángel Tomás, abrió fuego contra las nuevas propuestas a través de las páginas de *El Caimán Barbudo*, y encontró réplica en quien ha sido el principal mentor del grupo, Gerardo Mosquera. Los artistas que participaron en ella fueron: José Bedia (1959), Juan F. Elso Padilla (1956), José Manuel Fors (1956), Flavio Garciandía (1954), Israel León (1957), Rogelio López Marín (1953), Gustavo Pérez Monzón (1956), Ricardo Rodríguez Brey (1956), Tomás Sánchez (1948), Leandro Soto (1956) y Raúl Torres Llorca (1957). No obstante, la generación de la que estos artistas participan cuenta con otros importantes nombres como los de Gustavo Acosta Pérez (1958), Alejandro Aguilera (1964), Magdalena Campos (1959), Consuelo Castañeda (1958), Humberto Castro (1957), José Franco Codinach (1958), Arturo Cuenca (1955), Tomás Esson (1963), Antonio Eligio Fernández (1958), Marta María Pérez Bravo (1959) o Robaldo Rodríguez (1964). En un principio actuaron como grupo compacto, tanto en sus exhibiciones como en sus consideraciones teóricas y funcionales del arte y del artista. Asumieron un organizado y articulado espacio de las posiciones en la disposición del campo artístico, lo que les confería legitimidad y potencia de acción. Existía en todos ellos un común afán experimental y un decidido corte con la retórica épica propia del arte de los años setenta[2]. La obra se concebía en ellos desde una perspectiva intimista y autorreferencial, con el uso frecuente de la anécdota.

Por otra parte, una de las influencias más evidentes en todo el grupo, y especialmente consignada en los nombres más importantes (Bedia, Elso y Rodríguez Brey), fue la de Joseph Beuys y su noción del *arte social;* influencia que se irá generalizando conforme avanza la década en el resto de los artistas. Poco después de la exposición que los consagró, se radicalizaron sus propuestas en nuevas muestras colectivas como "Sano y Sabroso" y "Retrospectiva de Jóvenes Artistas", ambas en 1981, y otras posteriores. La labor de las autoridades del Ministerio de Cultura ayudó a los artistas a situar su obra en el contexto internacional, al tiempo que abría un flujo de influencias foráneas con el que no contaba la Cuba numantina de la década anterior. El Encuentro de Jóvenes Artistas Latinoamericanos, celebrado en Casa de las Américas en 1983 y, fundamentalmente, la inauguración en 1984 de la Bienal de Arte de La Habana abrieron el telón de la escena comercial norteamericana y europea a los artistas cubanos[3].

---

[2] Es evidente que, a pesar de la ruptura, se mantienen importantes, aunque selectas, influencias de los artistas inmediatamente precedentes. Así sucede, por ejemplo, con Santiago Armada ("Chago"), Antonia Eiriz, Umberto Peña y Raúl Martínez, quienes además eran profesores en los centros de enseñanza artística. La influencia se ejercía en un doble sentido: el artístico y el personal.

[3] En este sentido la figura de Ana Mendieta resulta imprescindible. Ella fue una de las niñas de la operación clandestina Peter Pan que a principios de los sesenta trasladó a unos 14.000 niños cubanos, hijos de opositores al régimen de La Habana, a Estados Unidos, donde fueron recibidos en orfanatos o familias de acogida. En busca de sus raíces, Ana Mendieta regresó a Cuba en 1980. Su asistencia a "Volumen I" le sirvió para interesarse por las obras del grupo, con cuyos miembros trabaría relaciones profesionales y de amistad. Se constituyó en puente entre las corrientes artísticas que se daban en aquellos años en Estados Unidos y las de Cuba, así como en lo referente al mercado. Junto con Ernesto Pujol, otro niño "Peter Pan", ha sido la única artista "extranjera" autorizada, fuera de los certámenes internacionales, para realizar y exponer su trabajo en Cuba.

Cuando a finales de los años ochenta aparece la nueva generación de artistas[4] (me refiero tanto a los plásticos como a los escritores) con unos presupuestos estéticos y éticos diferentes a los anteriores, conservarán, no obstante, las vías y surcos que abrieran los primeros; respetarán sus actitudes, pero llevarán a los márgenes, y aún más allá de ellos, sus propuestas[5]. Antonio Eligio Fernández ("Tonel"), uno de los artistas que se sitúa como puente entre "Volumen I" y los Novísimos, apreciaba el cambio cualitativo que se había producido en la última producción a raíz de una exposición colectiva que llevó por nombre "Estrictamente personal". Con una gran capacidad de análisis, el artista apuntó ya en aquel momento las que serían características fundamentales de la nueva generación en ciernes (A. E. Fernández, 1987): el enfoque social e histórico con una perspectiva ética, el autobiografismo e intimismo en la medida en que el "yo" servía de sintetizador de la problemática del género humano, el encuadre urbano y la fusión entre lo popular y lo culto y, en lo referente a técnicas y maneras, la presencia de la instalación frente al lienzo tradicional y la heterogeneidad basada en la acumulación, la caricatura, lo carnavalesco, el *kitsch* y la heterodoxia general.

Las manifestaciones artísticas que primaron en los últimos ochenta fueron las que se habían propuesto en las escenas artísticas neoyorkinas de los sesenta y setenta: pintura objetual, *happening, performance,* la pintura de acción (*action painting*)[6], instalaciones y todo medio experi-

---

[4] La crítica especializada coincide en considerar a los autores de "Volumen I" como una generación diferenciada de la que surge a finales de los años ochenta y, en mi opinión, vendrían a ser un grupo "bisagra" que habría servido de puente entre dos polos creativos altamente diferenciados. En general, se habla de "Nuevo Arte Cubano" a la hora de incluir a los artistas que inician su obra a partir de 1980, aproximadamente. Aquí prefiero utilizar el nombre que se les otorgó a los escritores, "Novísimos", en virtud de la coherencia en la cosmovisión del mundo existente entre ambos grupos y que los identifica como generación histórica y social.

[5] Es importante destacar el hecho de que algunos de los pintores más representativos de los años ochenta: José Bedia, Consuelo Castañeda, Magdalena Campos o Flavio Garciandía, fueron profesores del I.S.A. hasta su exilio en los noventa; su obra y su personalidad marcaron decisivamente a los entonces estudiantes de arte que serían, pronto, la nueva generación de artistas.

[6] The american action painting", encabezada por Harold Rosenberg, da un tratamiento activo a la pintura con el fin de que sea un acontecimiento en sí misma y no un

mental que le diera espectacularidad a la obra. Los nuevos y arriesgados contenidos precisaban de formas y soportes novedosos por lo que la experimentación fue la tónica en todos ellos. La desacralización del arte, del artista y de los espacios consagrados, la participación del público genérico, común, anónimo y ajeno al campo artístico, eran dos de sus propósitos fundamentales. Las formas de arte efímero se avenían con el propósito crítico y deconstructivo, pero también con la voluntad desmitificadora del objeto artístico. Un arte referencial y contextualizado cuyos soportes se proponen tan eventuales como las propias circunstancias.

De la voluntad comunicativa de los artistas de esta promoción nacen los *happenings* y *performances*, el arte de intervención, procesual y de sistema. Por su parte, las obras presentadas en soporte tradicional tienden a utilizar códigos y estilos capaces de presentar los mensajes de una forma clara y directa. Por esto se activan recursos de todo tipo, desde el pop al minimalismo, pero siempre con la intención de recuperar lo vernáculo (de ahí la importancia de lo religioso, por ejemplo) y de que la originalidad sea fruto de lo autóctono. Aparentemente resulta llamativo que las artes plásticas, tradicionalmente de condición elitista, hayan sido las que asumieran el protagonismo en el debate ideológico, ético y social de la Cuba de los años ochenta y noventa. Las razones, siguiendo el esquema de análisis social de Bourdieu, hay que buscarlas en el origen y en el *habitus* de los artistas que resulta de trascendental importancia en lo referente a la *praxis* artística. La Cuba de la Revolución ha dado lugar a un fenómeno exclusivo dentro del arte latinoamericano: el origen humilde de la mayor parte de los artistas. Éstos conocen y forman parte de un ámbito social desligado de los códigos artísticos académicos y tradicionales, es decir, viven inmersos en una cultura folclórica, pero han tenido acceso a una educación superior que les ha dotado de los conceptos y herramientas necesarios para interpretar la obra de arte. La particular recepción de la obra plástica, ya sea sobre soporte o en forma de intervención o instalación, es la que dio la llave de apertura del debate social a los artistas plásticos. En este sentido, el debate se hace posible gracias a que el interlocutor de la obra de arte es

---

reflejo, es decir, con la idea bajtiniana de que en sí misma forme parte de la acción social y cultural.

ahora un público muy amplio que ha recibido, como lo hicieron los mismos artistas, una educación de calidad gracias a las reformas educativas de la revolución. La fuerza del movimiento artístico y literario no hubiera sido la misma de no contar con un público consciente de la capacidad regeneradora y social de la obra de arte.

De la condición social de los artistas nace el deseo de transgredir los márgenes que han separado históricamente el arte culto del popular, aunque se manejen herramientas académicas. La intervención de lo vernáculo es auténtica en cuanto procede del medio natural del artista y no es una adopción, como lo fuera en la Vanguardia.

Lamentablemente, y a pesar del esfuerzo de un número importante de autoridades culturales, las instancias superiores del poder no entendieron que las propuestas de los artistas formaran parte orgánica del sistema y del "Proceso de Rectificación de Errores". En diversas ocasiones las ejecuciones artísticas fueron controladas y censuradas y, cuando menos, suscitaron sospechas sobre su legitimidad y corrección. Las novedosas y arriesgadas prácticas artísticas de los grupos alteraron bruscamente el espacio de las posiciones del campo artístico y cultural y fueron acompañadas de una serie de acontecimientos que agudizaron la transgresión. El más importante de éstos fue la serie de exposiciones que tuvieron lugar en el Castillo de la Fuerza durante el año 1989. La idea fue concebida por los artistas Alexis Somoza, Alejandro Aguilera y Féliz Suazo y apoyada por el Ministerio de Cultura. Su objetivo era reflexionar sobre los límites entre lo iconoclasta y lo "contrarrevolucionario", entre la crítica negativa y la constructiva y, al mismo tiempo, permitir una mejor distribución del arte en un medio que se había caracterizado por la hostilidad.

> ...el proyecto Castillo de la Fuerza propone la siguiente hipótesis: no es una invariante –cualquiera que sea ésta– la que caracteriza las producciones más recientes de las artes plásticas cubanas, sino la variabilidad de las alternativas que los artistas practican. Si bien es cierto que en todos ellos se ha producido un replanteo de la postura ética en asumir por el creador donde se alude a su grado de responsabilidad social (lo que tiene innegables consecuencias ulteriores en su producto) no puede afirmarse, y menos aún verificarse, que la eticidad constituya en sí misma un criterio de valor artístico. (Aguilera: 25)

La exposición del dúo de artistas Ponjuán y René Francisco levantó resquemores entre los censores debido a que una obra representaba a Fidel Castro en uno de sus multitudinarios discursos y su auditorio estaba compuesto de replicantes "Castros" clónicos. Parece que ésta fue la causa fundamental de que la Viceministra de Artes Visuales, Marcia Leiseca, fuera destituida, y de que se cerrara el ciclo de muestras definitivamente. Los artistas organizaron como protesta un partido de béisbol que tuvo una amplia cobertura divulgativa bajo el lema: "La plástica cubana juega al béisbol", que daba a entender la incapacidad de las instituciones para asumir el vigor que presentaba la nueva producción artística.

Unos meses después, en mayo de 1990, en la inauguración de la muestra "El Objeto Esculturado", celebrada en el Centro Nacional de Artes Plásticas y Diseño, la directora del centro fue cesada y uno de los artistas fue detenido y encarcelado por ejecutar un *performance* que consistía en defecar sobre el diario oficial *Granma*. La irreverencia y agresividad del acto son incuestionables, pero la censura y la represión pusieron de nuevo sobre la mesa las constantes limitaciones que el poder político y su discurso oficial han impuesto en Cuba al campo artístico e intelectual desde 1961.

Durante este periodo también se llevaron a cabo diferentes "proyectos de inserción sociocultural", favorecidos por ciertas autoridades, administrativas y docentes, con el objetivo de acercar el arte a todo tipo de público y de que participara de él sin conciencia de espectador pasivo. A través de ellos los jóvenes creadores encontraron los cauces necesarios para su desarrollo artístico y, por otra parte, se abría paso al debate social que era inexistente y, hasta entonces, impracticable, fuera de este contexto. El proyecto "Guaguas" trataba de que los objetos de arte fueran percibidos como escenario habitual dentro de la ciudad; el proyecto "Pilón", de significativa importancia social, acercó actividades culturales y artísticas a un pequeño y apartado pueblo del interior. En este último caso, asoma uno de los rasgos que trazan una línea continua en muchas de las obras del periodo que llega hasta los años noventa: el arte terapéutico (Watzlawick, 1999), el arte como cura más allá de las visibles acepciones pedagógicas[7]. "Hacer", idea concebida por Abdel Hernán-

---

[7] En este sentido cabe destacar que el arte como terapia parece ser de mayor práctica entre el colectivo femenino; véase como ejemplo la obra de Marta M. Pérez, Tania Bruguera y Belkis Ayón.

dez (1964), llevaba al extremo la percepción terapéutica y social del arte, pues entendía que el artista debía abandonar su habitual solipsismo para entrar en una verdadera dinámica social, a la manera del psicólogo o del sociólogo, y ser así un "hacedor" que, con su obra, aliviara las penas existenciales y proporcionara ayuda espiritual.

Eventualmente este tipo de proyectos llegó a ciudades menores del interior del país. Es el caso de la serie de "Soluciones" llevadas a cabo por el colectivo "La Campana" de Las Tunas. La primera de esas "soluciones" pasó por exponer la obra de los creadores en los escaparates de los comercios de toda la ciudad (Miguel García). En Santiago de Cuba, en el extremo oriental de la isla, el pintor Bárbaro Miyares (1959) también organizó, a partir de 1987, acciones que tenían como meta principal llamar la atención colectiva sobre el significado de lo "artístico". En el proyecto "Nacimiento, vida y muerte de un hombre", celebrado en la Galería de Arte Universal en 1988, se empapeló la sala de blanco y papel periódico, resaltando únicamente algunas piezas volumétricas hechas también en papel. En el centro de la galería se encontraba un cúmulo de papel del que emergía un corazón de grandes dimensiones, fabricado de papel, hierba y tierra, que se iba deshaciendo con el transcurso de los días. Paralelamente, Teresa Melo colaboraba con poemas sugeridos por las acciones de los artistas (Lahit-Bignott, 1993).

El arte efímero y los proyectos de inserción fueron de gran efectividad a la hora de abrir espacios públicos de representación, de debate y discusión de los conflictos y disfunciones del sistema desde la perspectiva del individuo y de lo cotidiano. Sin embargo, la crisis del Periodo Especial dio al traste con los logros conseguidos, pues los rigores de la economía, el consiguiente y preocupante descontento social y el desenlace de los procesos de *glasnot* y *perestroika* hicieron temer al gobierno el derrumbe del sistema. El control y la restricción en términos de libertad de expresión volvieron a instaurarse. Fruto de ello fue el gran éxodo de 1994, que para los artistas con trayectoria resultó más fácil en cuanto a las formas, aunque no menos amargo en cuanto al desgarro emocional. En opinión de Osvaldo Sánchez "la plástica joven fue convertida por el propio Poder en la maqueta donde fabular las batallas ideológicas de un futuro de sobrevivencia" (1992: 43) y por ello permitieron un exilio rápido y sin trabas burocráticas ni económicas.

No obstante, una vez pasado el nudo del año 94, hubo una política rectificadora con respecto a muchos aspectos, con el objetivo principal de conseguir inversiones o ingreso de dólares, que alcanzó a las artes plásticas. La apertura de la isla al turismo internacional había demostrado que "todo se podía vender", incluidas obras artísticas polémicas o críticas, y el Estado no quería deshacerse de tal fuente de ingresos. A partir de esa fecha son numerosos los galeristas norteamericanos y europeos que llegan en busca de nuevos valores. En noviembre de 1995 se inauguró el Salón de Arte Contemporáneo en La Habana, dedicado exclusivamente a la exposición de piezas de artistas cubanos. A pesar de que no se produjo una apertura que permitiera un debate público abierto y permanente, sí que se permitió que los artistas desarrollaran su labor con cierta libertad y recibieran beneficios suficientes como para que les compensara su permanencia en Cuba. Dice a este respecto Gerardo Mosquera:

> El juego de lo permisible es en Cuba un ajedrez complejo y riesgoso, basado en una tensión de fuerzas y sobre todo, en el balance entre la presión que el poder se ve obligado a dejar escapar en la gente y la que decide represar. Los iconos de la revolución y el turismo exigen cosméticos no represivos que determinan espacios de tolerancia. (1995: 134)

ARCO 97, dedicado a Latinoamérica, dejaba entrever la situación del arte cubano a finales de los años noventa. Por un lado, la Galería oficial de Cuba, "Habana", ofrecía una muestra compuesta únicamente por obras de artistas jóvenes. Los representados fueron Tania Bruguera Fernández (1968), "Los Carpinteros", Fernando Rodríguez (1970), Belkis Ayón (1967-1999), Alexis Leiva (1970) y Esterio Segura (1967). Si el arte de los Novísimos había abierto ciertos espacios de representación, los artistas que permanecen en Cuba a finales de los noventa renuncian en ciertos aspectos a su propósito inicial y establecen un pacto silente y paradójico con el sistema. Por otra parte, artistas en el exilio acudieron a ARCO bajo bandera de galerías internacionales, destacando las figuras de José Bedia (sus obras figuraban en tres galerías y una en la muestra del Museo de Extremadura), Marta María Pérez, Pedro Álvarez (1967), Juan Pablo Ballester, Carlos Garaicoa (1967), Ernesto Pujol y Luis Cruz Azaceta (1942). En algunos de ellos aún persistía la actitud crítica y de compromiso social que marcara su obra en su etapa de residencia en Cuba.

Los espacios dedicados al arte con proyección de mercado han florecido en La Habana de la última década. Los artistas que permanecen en Cuba desarrollan un incansable periplo a través de becas, estancias en instituciones extranjeras y exposiciones; el viaje es su geografía más inmediata y la mejor opción para sobrevivir en un país con carencias y dificultades importantes. La exportación del arte beneficia tanto al estado, que la utiliza como escaparate internacional de su aperturismo, como a los artistas, ya que el ingreso de divisas los coloca en una posición privilegiada en un país en constante necesidad. Este fenómeno aparece reflejado en obras de diversos artistas; tal es el caso de "Visite el cuadro del artista" (1995), de Reinerio Tamayo, compuesta por dos lienzos en los que se expone la urgencia del artista por sobrevivir y las concesiones que para ello ha de hacer a las expectativas artísticas de los extranjeros.

Cabe mencionar, por último, la apertura de la galería "Aglutinador" creada por los artistas Ezequiel Suárez y Sandra Ceballos en su domicilio particular, después de que fuera prohibida una exposición del pintor en 1994 y éste decidiera instalarla en su propia casa[8]. Ha sido éste el primer espacio alternativo que ha logrado mantenerse en Cuba y que ha dado ejemplo a otros artistas. A lo largo del año 1996, tuvieron lugar en "Aglutinador" varias lecturas de textos de los Novísimos, organizadas por Ronaldo Menéndez, nexo habitual entre la plástica y la literatura. Ilustrativas son aquí las palabras de Gerardo Mosquera,

> ...el nuevo arte cubano ha conseguido desempeñar una función única como sitio de discusión social en un país donde estos sitios no existen. En una época cuando, como señala George Yúdice, la batalla por la sociedad civil no se está empeñando en el arte, otrora uno de sus terrenos principales, en Cuba aquél ha concentrado funciones de una sociedad civil casi inexistente, abriendo un espacio crítico que no existe en los medios de difusión masiva, las asambleas o las aulas. (1995:138)

El cuento

La unidad de acción y homologías entre las obras plásticas y literarias se ha visto reforzada en Cuba por la existencia de la UNEAC, institu-

---

[8] La exposición llevaba el título de "El Frente Bauhaus" e iba a ser inaugurada en marzo en la Galería "23 y 12" de La Habana.

ción que aúna los intereses de artistas y escritores. Reuniones, conferencias, exposiciones y actos de diferente índole han estrechado en su sede los lazos de dos colectivos tradicionalmente unidos. Al mismo tiempo, las directrices políticas han sido comunes para ambas disciplinas por lo que las nuevas promociones de escritores y artistas no sólo han compartido idéntico *habitus*, sino que han estado situadas bajo el mismo flujo de fuerzas determinantes. Todo ello confluye en la simetría y analogía que se da entre las obras de ambos colectivos.

Por otra parte, las relaciones entre la plástica y la literatura no son nuevas en Cuba. A finales de los años veinte, las vanguardias literarias y pictóricas de la Isla se agruparon en torno a la *Revista de Avance* (Wood, 1990) que hizo suyo el espíritu de combatividad social y politización que enarbolaban los intelectuales del Grupo Minorista. Lo más florido del pabellón literario e intelectual cubano colaboró con *Avance* a lo largo de los cincuenta números que salieron entre 1927 y 1930, en los que la presencia internacional también fue notable. Américo Castro, José M. Chacón y Calvo, Jean Cocteau, Juan Marinello, Jorge Mañach y Rafael Suárez Solís sobresalen en la nómina de ensayistas; Regino Boti, Mariano Brull, Luis Cardoza y Aragón, Eugenio Florit, Federico García Lorca, Carlos Montenegro, Lino Novás Calvo, Salvador Novo, José Z. Tallet, Torres Bodet, César Vallejo, Xavier Villaurrutia y Yeats en la de los literatos. Sin embargo, la mayor proyección de la revista se desarrolló en el terreno de las artes plásticas ya que sirvió de galería para los artistas que en 1927, tras la "Exposición de Arte Nuevo", sacudieron tanto la academia como la vanguardia y dieron paso a un momento fundamental de la plástica cubana. Las páginas de *Avance* se ilustraron con el trabajo de Eduardo Abela, Rafael Blanco, Carlos Enríquez, Víctor Manuel García, Antonio Gattorno, Amelia Peláez, Marcelo Pogolotti y Domingo Ravenet, entre los nombres nacionales, y de Dalí, Juan Gris y Pablo Picasso entre otras firmas internacionales. No se trataba únicamente de trabajo en común de intelectuales y artistas, de pintores y escritores; la colaboración en *Avance* queda como testigo de un común estilo de vida que tenía lugar en diferentes prácticas, tanto del ámbito de lo público como en el de lo privado. La revista *Orígenes*, fundada en 1944 por José Lezama Lima y José Rodríguez Feo, ha sido el espacio cultural que con mayor fuerza ha marcado la dinámica literaria cubana del siglo XX. La colaboración que se dio entre los poetas del grupo (Eliseo Diego, Cintio

Vitier, Fina García Marruz, Fayad Jamís, etc…) y los pintores de la época (Wifredo Lam, René Portocarrero, Mariano, y el "grupo de los once") fue más allá de la presentación conjunta de texto e imágenes. El poeta y pintor cubano José Pérez Olivares (1993) ha señalado la influencia en cuanto al tratamiento de los colores que los pintores tuvieron sobre los poetas en el periodo origenista.

El impacto que produjo la obra de los artistas plásticos en los años ochenta marcó definitivamente la articulación y la recepción de la obra de arte. El espacio de reflexión pública que aquéllos crearon acercó sus modos a otros creadores que, sin estar totalmente ajenos, tampoco conocían en profundidad técnicas y recursos propios del campo de la plástica. No sólo se produjeron relaciones entre diferentes artistas y grupos, sino que también la práctica literaria se sirvió de recursos propios de las artes plásticas.

Entrando ya en el análisis de los acontecimientos que modifican el campo literario, es conveniente señalar en primer lugar que es en 1988 cuando aparece un número de la revista *Letras Cubana* con un especial dedicado a los jóvenes creadores de Cuba en los géneros de poesía y cuento. La idea surgió a raíz del Encuentro de Jóvenes Narradores realizado en Las Tunas en junio del año anterior. Tras las lecturas de cuentos que tuvieron lugar en aquella ocasión y al hilo de otras que se habían llevado a cabo con anterioridad, fundamentalmente en la capital del país, varios creadores y críticos entendieron que se estaba produciendo un "renacimiento" del cuento en Cuba. Con un gran olfato crítico, Salvador Redonet había iniciado ya una lectura minuciosa de los textos de los jóvenes narradores y en aquel momento conocía la labor de quienes la llevaban a cabo en La Habana. Diez años después, en septiembre de 1998, el Congreso Nacional de Narrativa tenía lugar de nuevo en Las Tunas. Sin embargo, el panorama era muy distinto en esta ocasión. Los jóvenes de hacía diez años seguían siendo relativamente jóvenes, pero eran ya figuras reconocidas dentro de la literatura nacional y lo que en 1987 fue vislumbre, ahora era un fenómeno consolidado que monopolizaba en su mayor parte la actividad de la crítica literaria en Cuba. Con el transcurso de una década, muchas de las presencias necesarias resultaban imposibles debido al exilio. La selección de relatos realizada para aquel número de *Letras Cubanas* había resultado bastante acertada, pues de los diez textos que se incluyeron, seis se convirtieron en "clásicos" y aparecieron en un buen número de recopilaciones o antologías posteriores. Junto a los textos de creación aparecieron dos artículos de crítica, el primero perteneciente al escritor, crítico y hoy día jefe de redacción de la revista literaria más importante de Cuba, *La Gaceta* de la UNEAC, Arturo Arango, y el segundo iba firmado por quien ha sido el más importante mentor y estudioso de la obra de los Novísimos, el ya mencionado Salvador Redonet. El primero de los artículos resultaba un tanto reduccionista al establecer dos polos antinómicos sobre los que presuntamente se articulaba la nueva cuentística; a saber, la violencia frente a la exquisitez, lo real frente a lo fantástico, la estética de lo vulgar y sus manifestaciones jergales frente a la elaboración formal y estilística del lenguaje, el referente social frente al (meta)referente literario; no obstante, adelantaba con exactitud algunas de las características que definirían posteriormente a los Novísimos y a su obra. El segundo trabajo era una entrevista realizada a Salvador Redonet en la que éste traza una línea sobre la cuentística cubana desde 1959 para desembocar en los Novísimos y citar y caracterizar brevemente algunas obras y autores.

La mayoría de los autores procedían de los "talleres" literarios que el sistema educativo revolucionario había ido implantando paulatinamente con el objetivo de erradicar el carácter elitista de la actividad literaria y de sus agentes. Extender la lectura especializada y el ejercicio literario formaba parte del proyecto de convertir el arte, y dentro de él la literatura, en parte orgánica del acontecer social, fomentando la idea utópica de una cultura popular con los presupuestos de la elitista. Al mismo tiempo, los talleres resultaban una eficaz forma de control y explícitamente se declaraban destinados a "eliminar toda manifestación que incida en la penetración cultural y el diversionismo ideológico"[9]. A principios de los años ochenta se hablaba de más de mil quinientos grupos (Chío, 1983) repartidos por toda la geografía cubana. Éstos se articulaban jerárquicamente en talleres de base, talleres municipales y talleres provinciales, con un sistema de promoción interna para sus integrantes. Anualmente se ha venido celebrando un "Encuentro Debate Nacional de Talleres Literarios" al que asisten los miembros elegidos en los talleres provinciales y que ha servido como plataforma para la poste-

---

[9] "Talleres literarios", *Diccionario de la Literatura Cubana*, vol. 2, La Habana, 1984, p. 996.

rior integración del campo literario. A finales de los noventa la cifra de talleres se había reducido a 850, pero aún surgían centros de nueva creación como el "Taller de Formación Literaria Onelio Jorge Cardoso" en 1998, dirigido por Eduardo Heras León en La Habana. Algunos de los premios literarios existentes en Cuba se dirigen fundamentalmente a los participantes de estos talleres, tal es el caso de "13 de marzo", "Calendario", "Luis Rogelio Nogueras" o "David", y a través de ellos los jóvenes se inician en la vida literaria cubana. Ésta gira en torno a un número importante, si consideramos las dimensiones del país y su índice poblacional, de publicaciones periódicas exclusivamente dedicadas a lo cultural y, específicamente, a lo literario. Destacan *La Gaceta de Cuba*, *Revista Unión*, *Revolución y Cultura* y *El Caimán Barbudo* (y en el pasado su suplemento *Naranja dulce*). Paralelamente existe un número importante de premios de ámbito nacional dedicados al género del cuento. A lo largo de los noventa, los Novísimos residentes en Cuba han ido accediendo paulatinamente a algunos de los más importantes como son "Casa de las Américas", "UNEAC", "La Gaceta de Cuba", "Dador", "Razón de ser", "Ernest Hemingway", "Caimán Barbudo", "Manuel Cofiño", "Revolución y Cultura" y "Alejo Carpentier".

Al igual que sucedió con los artistas plásticos, el foco creativo, una vez percibido, fue alimentado por escritores e intelectuales con posiciones de poder en el campo cultural y en sus instituciones. Nuevamente se le daba cauce a un fenómeno que pronto lo desbordaría. Es por ello que en el año 1994, se publicaron en editoras cubanas, aunque con fondos provenientes de asociaciones argentinas, veinte volúmenes de cuento de calidad, considerable irreverencia y fuerza crítica. Como sucedió con la Bienal de Arte de La Habana, el sistema se obligaba ahora a sí mismo, en una incidencia vertical de fuerzas, a deshacer lo hecho y a reestructurarse para evitar nuevos "errores". La censura en Cuba ha actuado de una forma irregular e imprevisible, de acuerdo a factores externos como la situación económica o las relaciones internacionales. No es un órgano oficial, aunque esté presente y actúe en todas las esferas de la vida del país. Ésta es la razón por la que premios, exposiciones y ediciones de los Novísimos plásticos y escritores provienen de las instituciones culturales oficiales, en las que trabajan artistas e intelectuales que no siempre han sido requeridos para hacer una labor de corte. La labor de recorte y censura en Cuba siempre ha sido posterior. Cuando entre

1995 y 1996, el exilio de la mayor parte de artistas y narradores era ya un hecho, el gobierno tomó medidas que favorecían las actividades de aquéllos que aún permanecían en la isla, siempre que éstas estuvieran bajo un relativo control.

¿Y por qué el cuento? Evidentemente no es casual que la narrativa de esta promoción haya centrado su interés inicial de manera absoluta en el género del relato breve. La tesis que trato de defender en estas páginas es precisamente la que entiende que el cuento, en su doble e inseparable composición formal y conceptual, se ha avenido con los intereses y objetivos que han tenido los nuevos escritores cubanos desde su entrada en el campo de fuerzas artístico-literario a finales de los ochenta. No vamos a retomar aquí la, hasta hoy, inconclusa, y parece que interminable, discusión sobre las características del cuento como género literario y modelo discursivo, ya que, excepción hecha de su ineludible "brevedad", e incluso ésta es relativa, la crítica no ha alcanzando un consenso que establezca un canon al respecto.

Luis Beltrán (1997) aplica la teoría de Mijail Bajtín al relato breve y la relaciona con lo expuesto por Walter Benjamin en *El narrador*, señalando ciertas características históricas que, a su juicio, pueden conformar un canon sobre el género del cuento. De ellas, me parece conveniente llamar la atención aquí sobre el carácter indagador que se le atribuye a este género en la medida en que "en el cuento se ponen a prueba las creencias, mediante extrañas situaciones cotidianas –accidentes, hechos casuales, etc., es decir, todo lo que al superar las escasas fuerzas humanas pone de manifiesto el choque entre lo divino y lo humano" (31), y podríamos extender la polarización a lo dogmático y lo heterodoxo, lo legitimado y lo prohibido, etcétera. En este sentido, la fuerza enunciadora del cuento lo ha convertido en el género idóneo en un momento histórico de profunda revisión de valores como el que atravesó Cuba a finales de los ochenta y principios de los noventa. El innegable sentido de efecto único del cuento iguala la intensidad comunicativa de la obra plástica.

Por otra parte, el cuento es un género que en Cuba cuenta con una extensa tradición que presenta síntomas de madurez evidente ya en los años cuarenta, momento en el que se publicaron los *Cuentos negros* de Lydia Cabrera y los cuentos de Lino Novás Calvo. Los relatos de Lezama Lima están escritos entre 1936 y 1946; Virgilio Piñera inicia la escritura de los suyos a principios de la década y, en 1956, publica en Buenos Aires el volumen *Cuentos fríos*. Un año antes del triunfo revolucionario aparecieron *Guerra del tiempo* de Alejo Carpentier y *El cuentero* de Onelio Jorge Cardoso. Desde 1959, el cuento atraviesa por diferentes etapas, aunque todas ellas están marcadas por el nuevo periodo histórico inaugurado con el triunfo de los guerrilleros del movimiento "26 de julio". De los primeros años destacan los cuentos de *Así en la paz como en la guerra* (1960) de Guillermo Cabrera Infante y *El regreso* (1962) de Calvert Casey. Pronto se inició un cuento, de excelente factura y consecución estética, que surgía desde el nuevo orden de realidad que la historia de los acontecimientos había impuesto en Cuba. La nueva cuentística, fruto de la Revolución, surge con *Los años duros* (1966) de Jesús Díaz, *Tute de reyes* (1967) de Antonio Benítez Rojo, *Días de guerra* (1967) de Julio Travieso, *Condenados del condado* (1968) de Norberto Fuentes y *La guerra tuvo seis nombres* (1968) y *Los pasos en la hierba* (1970) de Eduardo Heras León, entre los más destacados. Durante los años setenta, tras los primeros traspiés del proyecto revolucionario y como consecuencia del primer Congreso de Educación y Cultura, el realismo socialista se impuso como norma estética, lo que trajo consigo la depauperación del género. A principios de los años ochenta se percibió en Cuba un movimiento literario que afectaba fundamentalmente al cuento y que venía a aminorar el *rigor mortis* que atenazó a la literatura cubana en los años setenta. Enfrentando el dogma del realismo socialista aplicado a todas las esferas del desarrollo artístico, los narradores de este momento enfocaron problemas de la realidad inmediata desde una óptica más personal y desde el prisma de lo cotidiano, sin imprimir el tono mesiánico que caracterizaba la literatura precedente. El afán aleccionador se pospuso en un relato de mayor fluidez y naturalidad que, tímidamente, se atrevía a acudir a recursos que habían estado seriamente relegados como el humor, la ironía y todo lo concerniente al ejercicio de la risa. Si bien los cuentistas de los ochenta, que recibieron el apelativo de "Nuevos", reaccionaron al esclerotizado corpus narrativo que se produjo en los años setenta, no consiguieron un verdadero reajuste de fuerzas en el campo y, con el tiempo, ocuparon lugares señalados dentro del campo literario y sus instituciones. En ningún momento se produjo una salida masiva al exilio, como sí ocurrió con los plásticos a principios de los noventa y con los Novísimos en torno al año 1995, puesto que los Nuevos no habían violentado ningún eje ni paradigma, sino que reajustaron las tomas de posición, muchas de ellas a través del cuento, en la medida de lo necesario, para ocupar un lugar dentro del campo cultural. Los escritores a quienes nos referimos son Arturo Arango (1955), Luis Manuel García (1954), Reinaldo Montero (1952), Miguel Mejides (1950), Senel Paz (1950), Francisco López Sacha (1950) y Abel Prieto (1950), entre los más destacados. Simultáneamente, recuperaban el tono perdido en los setenta algunos de los narradores de la promoción anterior que, con anterioridad al "decenio negro", habían publicado volúmenes de cuentos de notable calidad. Es el caso de Jesús Díaz (1941) y Eduardo Heras León (1940). La mayoría de ellos ocupa en los noventa cargos en la administración cultural, como por ejemplo Arturo Arango, López Sacha y Eduardo Heras en la UNEAC, Senel Paz en el ICAIC y Abel Prieto como actual ministro de cultura del país. Leonardo Padura realizó una caracterización genérica de éstos una vez concluida la década y avistando ya la emergencia de los Novísimos.

> La cuentística cubana de los 80 establece entonces sus pautas desde una diversidad que la ilusión de la cercanía, tal vez, hace parecer, justamente, más diversa. Pero lo cierto es que bajo el interés fundamental de trabajar lo dramático-cotidiano –en los cuentistas de los 60 lo característico era el abordaje de lo épico-heroico con un valor casi testimonial– nacieron perspectivas, tendencias, estilos, asuntos y proposiciones muy variadas que van desde el relato fantástico y de ciencia-ficción a la fábula satírica, pasando por la reconstrucción histórica y, sobre todo, por un realismo interesado en acercarse a un presente complejo y, sin duda, difícil, con el propósito ya mencionado de interrogarlo, más que de reflejarlo tranquilamente. (1993: 14-15)

Algunos de los cambios drásticos que tienen lugar en los cuentos de los Novísimos habían sido anunciados en textos de los Nuevos, pero ni la visión del mundo ni su concreción en el relato coinciden. La fuerza generacional no es equiparable, así como tampoco los Nuevos conforman una poética del género con la cohesión de la desarrollada en el cuento de los noventa. Las tomas de posición de los autores nacidos en torno al año 1950 se realizaron midiendo las fuerzas del campo literario, nunca con la intención de quebrarlas, sino, y en todo caso, de flexibilizarlas. No es este el lugar de analizar la obra de estos autores, pero sirva como exponente el caso, conocido por su difusión internacional, de Senel Paz y su relato "El bosque, el lobo y el hombre nuevo", ganador del premio "Juan Rulfo" en 1990. Este texto, base del guión de la película "Fresa y chocolate" (1993) de Tomás Gutiérrez Alea (1928-1996), critica la condición homofóbica de la sociedad y sistema cubanos bajo la defensa de los valores revolucionarios, tema que ya había sido abordado por artistas y escritores de la nueva generación como parte de un proyecto común de abrir fisuras en la intolerancia del régimen político.

Los Novísimos se remiten a fuentes pertenecientes a la generación consagrada antes del triunfo de la Revolución, siendo Calvert Casey, Guillermo Cabrera Infante y Virgilio Piñera referencias constantes, especialmente el último de ellos quien, tanto para poetas como para narradores, es una autoridad esencial. En este sentido, es importante señalar que el afán de los Novísimos por dar voz a sujetos silenciados tiene un impacto notable en la recuperación de escritores cubanos que por motivos políticos fueron vetados. Además de los ya citados, se presta especial interés a las obras de Gastón Baquero, Lydia Cabrera, Lezama Lima y Severo Sarduy.

Por otra parte, toda la plana mayor de artífices latinoamericanos está de una u otra manera en las páginas de los Novísimos, especialmente Julio Cortázar y Jorge Luis Borges, acompañados de Augusto Monterroso, Juan José Arreola y Juan Carlos Onetti. En función de las orientaciones estéticas personales, las inclinaciones varían de un autor a otro, pero en esta caracterización genérica conviene llamar la atención sobre la poderosa ascendencia de autores del siglo XX procedentes de la literatura rusa o de los países de la órbita comunista y, paradójicamente, de la norteamericana. Con respecto a la primera es lógico que el intercambio que existió entre la que fuera potencia mundial y el país caribeño durante casi treinta años tuviese un impacto directo sobre lo cultural. Algunos de los Novísimos nacieron en países del Este o los hay que realizaron sus estudios en ellos, de ahí que un número importante hable lenguas eslavas y haya accedido a la lectura directa de las obras originales. Quizá el influjo más notorio se perciba en el terreno poético y en el cinematográfico, aunque no está ausente de la narrativa y del ensayo o pensamiento. Algunos de los nombres más destacados son los de Marina Tsvetaeva, Witold Gombrowicz, Osip Mandelstam, Czeslaw Milosz, Anna Ajmatova, Joseph Brodsky, Milan Kundera y el director cinematográfico Tarkovsky. Por otra parte, la herencia que dejó la presencia norteamericana durante las primeras seis décadas del siglo se percibe en múltiples aspectos de lo cubano, no sólo en la arquitectura y el trazado de la ciudad, en los horarios o en las abundantes expresiones y términos de la lengua procedentes del inglés, sino también en la formación cultural. A esto se une el alto número de cubanos residentes en Estados Unidos con quienes existe un contacto frecuente desde finales de los setenta. Las obras de los autores de la narrativa norteamericana del siglo XX tienen un eco constante en los Novísimos. Son habituales las referencias o reminiscencias de los cuentos de Raymond Carver y Charles Bukowski y la presencia de formas y ambientes de J.D. Salinger, Henry Miller, William Faulkner o Ernest Hemingway.

El cultivo del cuento monopoliza la actividad de la narrativa cubana hasta finales de los años noventa, cuando se publican ya varias novelas de autores que se habían dedicado al cuento con anterioridad. Siguiendo las formulaciones que Yuri Lotman hizo en el campo de la semiótica de la cultura, Catharina V. de Vallejo expone en su trabajo sobre el cuento hispanoamericano que

> el género sería una "función" del texto, al reflejar una visión del mundo propio a la cultura y, de forma inversa –dinámica– es también la elaboración cultural de pautas rectoras para los acontecimientos ficcionales. [...] Existe cierto tipo de discurso propio de cierta visión del mundo. Ese discurso presentaría características estructurales y narrativas concomitantes con la visión dominante que expresa. (1992: 23-25)

Es precisamente la idea expresada en la cita anterior la que intento defender en este trabajo con respecto al cuento en Cuba entre 1985 y 2000, aproximadamente. El cuento ha sido el género dominante en la narrativa cubana elaborada por los Novísimos en los noventa, convirtiéndose así en la toma de posición de mayor relevancia. Se estructura directamente desde ese nuevo *habitus* que domina la promoción con el objetivo de crear un nuevo sistema de las disposiciones (estructurante) con respecto al poder y al uso del capital simbólico dentro del campo literario y artístico. Además de ese afán de renovación, las poéticas de los Novísimos, como veremos en breve al analizar los manifiestos de grupo, se fundamentan en un proyecto de corte social que pretende beneficiar a toda la sociedad. Al igual que en los artistas plásticos, el discurso de los Novísimos aúna elementos modernos con aspectos propios de la visión del mundo caracterizada desde los años setenta como postmoderna. Salvador Redonet apuntaba al respecto,

> Si bien algunos de los novísimos cuentos cubanos de los ochenta fueron incorporados por los presupuestos de la postmodernidad, puede haber también modernidad en las concepciones estéticas de los textos de los noventa. En cualquier caso, creo que –hasta hoy–, sin excluir otros, códigos artísticos en la actualidad atribuidos a la postmodernidad recorren con mayor intensidad (en comparación con los ochenta) los textos de una buena parte de los más jóvenes cuentistas cubanos [...] que mantienen una relación homológica con la zona de las artes plásticas. (1999: 15-16)

De aquí se desprende que los códigos postmodernos se van incorporando al cuento de los Novísimos a medida que la década avanza y en tanto que las poéticas individuales van ganando fuerza y carácter. Contribuye a lo anterior el hecho de que la información sobre las teorías del pensamiento occidental entraran en Cuba con gran fuerza una vez desapareció el bloque de repúblicas socialistas. En mi opinión, es el proyecto social que subyace en el cuento de los Novísimos el que vincula su visión del mundo a la moderna, sin perjuicio de que en muchas de sus prácticas se hallen nociones adscritas al pensamiento postmoderno.

Anteriormente se aludió la dificultad con la que se ha encontrado la crítica especializada a la hora de dar una definición cabal y precisa de lo que es o no es cuento. No creo necesario hacer aquí una exposición del estado de la cuestión, habida cuenta de lo tratado y extendido del asunto. Parece más acertado realizar una definición del género desde la propia práctica de los Novísimos. En la exposición tipológica que se realiza más adelante se mostrará la amplia concepción que del género tienen los creadores, pues han registrado en sus prácticas todas las variantes discutidas en los estudios teóricos sobre el tema. Desde el formato minimalista de textos de Radamés Molina o Ernesto Santana hasta la considerable extensión, podríamos decir que casi en el límite, de relatos como *Mata* de Raúl Aguiar, la gama de formas, técnicas y estructuras es muy amplia.

Pedro Juan Gutiérrez elabora su propia explicación del concepto de género comparando su gestación con el proceso de fecundación de los seres humanos que conduce a un inevitable parto, que en caso de no producirse "provocará una rebelión terrible dentro de nosotros y podría inocularnos el virus de la locura" (2000: 211). El autor de *Trilogía sucia de La Habana* entiende que el cuento debe moverse en torno a un punto centrífugo desde el que el lector es absorbido. Coincide su postulado con la unidad de efecto o impresión de la que hablaba Edgar Allan Poe en 1842, de la que se siguen las tres conocidas máximas para la consecución de un buen relato: unidad, brevedad e intensidad. Pedro Juan Gutiérrez lo explica siguiendo la línea de Poe, Cortázar y otros,

> [...] lo esencial es que el lector sienta en su pellejo el restallido del látigo. Pero no puede ver el látigo. Sólo le dejaremos sentir el picor doloroso en su piel, y al mismo tiempo escuchará el trallazo del cuero en el aire. Pero –insisto– jamás podrá ver el látigo. Ni siquiera podrá presentir por dónde lo atizaremos. (212)

Además de los aspectos mencionados, el autor señala que la perfección del cuento nace de la capacidad de mostrarse inagotable, de suscitar tantas interpretaciones como lectores tenga, aspecto que va asociado a elementos como el de la "ambigüedad", la precisión y cuidado lingüísticos y la elaboración estructural. Enlaza lo anterior con lo expuesto por Julio Cortázar en "Del cuento breve y sus alrededores" donde, además de hablar de la autarquía del relato, de su estructura funcional y de la tensión que lo debe recorrer, menciona el "repentino extrañamiento" o "desplazamiento" al que el lector tiene que verse sometido. Para Cortázar, al igual que para Pedro Juan Gutiérrez, el relato debe alcanzar una dimensión de "ser viviente" que le proporcione una capacidad ilimitada de ser interpretado.

Quizá para burlar y burlarse de discusiones bizantinas, Rolando Sánchez Mejías (1997), del proyecto "Diáspora(s)", declaraba en la presentación que abría el primer número de la revista homónima, que en lo referente al aspecto formal el objetivo era "escribir un cuento *como si* fuera un cuento; un poema *como si* fuera un poema; un ensayo *como si* fuera un ensayo; una novela *como si* fuera una novela. Etcétera" (2).

Parece útil atender a esta propuesta de "Diáspora(s)" que apela al sentido común fundado sobre una larga tradición literaria en la que, salvo contadas excepciones, el cuento es identificable, aunque no sea definible en un sentido canónico, como probablemente en la actualidad no lo sea ya ningún género literario.

Si existe un común denominador en los cuentos escritos por los Novísimos narradores cubanos desde mediados de los años ochenta hasta finales de los noventa es la conciencia de "la función ético-estética que posee el hecho literario y de la función transgresora de la norma que ha de cumplir la producción artística" (Redonet, 1993: 25). La conciencia ética, surgida del *habitus* estructurante de las diferentes tomas de posición (el cuento entre ellas), es el aspecto esencial que caracteriza el (contra) discurso de la nueva hornada de escritores. Las formas adoptadas, desde el cuento minimalista hasta el relato extenso, las diferentes estrategias narrativas o elaboraciones lingüísticas, desde el barroco de nuevo cuño y el culturalismo de Waldo Pérez Cino a la jerga callejera de Pedro Juan Gutiérrez, están en función de un presupuesto ético. Así mismo, los temas abordados, el éxodo, la creación y la literatura, la homosexualidad, el erotismo, la guerra, la existencia, la problemática individual, la de género o la social forman parte de un (contra)discurso en el que la actitud ética que supone el ejercicio literario está al mismo nivel que la estética. No hablamos de una literatura comprometida en cuanto a los temas tratados, ni tampoco de corte sociológico, aunque algunos escritores la practiquen, sino de una literatura con conciencia de sí misma. Esta actitud respalda la tesis defendida por Bajtín y Bourdieu acerca de la constitución de la literatura como parte fundamental de la actividad social, necesaria como espacio de debate público en un momento histórico y en un enclave geográfico donde las libertades sociales están menguadas.

Partiendo de lo anterior, encontramos diversas realizaciones narrativas que pasan por muchos de los elementos que la crítica ha caracterizado como parte de la Postmodernidad. Entre ellos destacan los procedimientos intertextuales: la parodia, la cita, el pastiche o la continuidad alterada en textos fragmentarios, estructurados desde una visión caleidoscópica donde la anécdota se diluye. De ellos hacen uso escritores adscritos a estéticas muy diferentes como pueden ser Rolando Sánchez Mejías, Rogelio Saunders, Daniel Díaz Mantilla o Ena Lucía Portela. Otra variante es el uso de un tipo de discurso testimonial, privilegiado en las décadas anteriores por el sistema, que se subvierte con respecto a la tradición y a la convención establecida en las obras precedentes. Se utiliza ahora para mostrar las zonas no gratas a la visión que de la realidad ofrece el discurso oficial, así como los aspectos escondidos y reprimidos de la sociedad y del individuo.

Otras actitudes más continuistas utilizan formatos tradicionales y retoman temas propios de la cuentística revolucionaria, pero con la intención de hacer patente que su mirada no coincide con la de las promociones precedentes. Fundamental en este caso es el conflicto de la guerra, que pierde el aura heroica y épica que sirviera como manifiesto colectivo del grupo que llevara a cabo la Revolución. Ahora encontramos la perspectiva íntima, abordada desde la esfera de lo psicológico, centrada en los conflictos individuales y en las secuelas del enfrentamiento armado. La soledad, el miedo, la muerte, el trauma, la desesperación y la falta de sentido existencial son algunas de las consideraciones que trascienden el conflicto bélico. En este sentido se percibe el interés postmoderno por el entorno inmediato y la pérdida de interés por la construcción de una narración histórica representativa de un único grupo social.

Diferentes aspectos y conflictos de lo social se abordan desde el absurdo, lo fantástico o lo humorístico para reflexionar sobre temas de carácter metafísico y ético en los que el individuo desprovisto de máscaras es el protagonista.

Puesto que la edición de obras individuales fue un proceso costoso y lento (en algunos casos olvidado) fue a través de otras vías de difusión que se dieron a conocer los cuentos novísimos dentro del campo literario. Los citados encuentros de narrativa provinciales y nacionales, donde los escritores contactaban entre sí y con los críticos, serían la puerta de entrada de numerosos cuentos a publicaciones periódicas de ámbito nacional, las cuales difundieron un notable número de cuentos hasta mediados de los noventa. Los abundantes certámenes literarios y los premios fueron también una importante vía de integrar el campo literario, ya que algunos de ellos conllevaban publicación, generalmente en revista o plaquette.

Como decíamos, la publicación de obras individuales fue una empresa ardua ya que la crisis y la censura operaron conjuntamente, y con extraordinaria fuerza, afectando a la edición y a su distribución. En La Habana de los noventa no era fácil encontrar libros en moneda nacional y los libros de los Novísimos, excepción hecha de la librería de la UNEAC, han sido difíciles de hallar. Las numerosas antologías, vía de difusión principal de esta narrativa, se han realizado en su mayor parte con capital extranjero y se han editado fuera de Cuba. Hasta 1993, los cuentos de los Novísimos circulaban en los encuentros oficiales o en pequeños grupos insertos en el campo literario. En 1993 se creó en

Cuba el Fondo para el Desarrollo de la Educación y la Cultura, hecho que alivió ligeramente el desierto de publicaciones que vivía el país desde la desaparición del apoyo económico soviético. Uno de los sucesos que supuso la primera y principal difusión de las obras individuales de los Novísimos fue la creación de la Colección Pinos Nuevos en 1994. La idea surgió en la Feria del Libro de Buenos Aires en 1993, cuando la aguda crisis que vivía el país había tocado fondo y mantenía en paro absoluto el proceso editorial cubano. Con capital argentino se financió la publicación en editoras cubanas de cien volúmenes de poesía, narrativa, ensayo, teatro, literatura infantil y divulgación técnica, pertenecientes todos ellos a autores noveles. Al cuento le correspondieron dieciocho publicaciones, seleccionadas de entre un centenar (Soler, 1997) por un cuidado jurado de escritores; con alguna excepción la mayoría de ellas pertenecían a escritores Novísimos, destacando los volúmenes de Jorge Luis Arzola, Enrique del Risco y Rolando Sánchez Mejías. "Pinos Nuevos" alcanzó otras dos ediciones que se publicaron en 1996 y 1997, respectivamente; en la primera de éstas y en lo referente al cuento, se produjo un sospechoso desvío de los intereses literarios del jurado, probablemente advertidos y amonestados debido al carácter polémico y crítico de la mayor parte de lo editado en 1994. La calidad literaria de los volúmenes publicados en esta ocasión fue muy inferior a la primera edición de la convocatoria, con determinadas excepciones como las obras de Ernesto Santana, Raúl Aguiar, José Manuel Prieto o Atilio Caballero. En la edición de 1997, considerablemente menguada, sólo se editaron siete volúmenes de narrativa y de ellos destacan los de Waldo Pérez Cino, Rafael de Águila y Alejandro Aguilar.

La labor crítica es uno de los componentes clave en la rearticulación del campo literario y en este sentido los Novísimos han elaborado un nada desdeñable corpus teórico sobre su propia obra, en parte surgido del deseo de aportar una visión personal que pusiera en entredicho las críticas que los caracterizaron a principios de los noventa. Éstas últimas pertenecían, con la excepción de las de Salvador Redonet[10], a escri-

---

[10] El crítico siempre mantuvo, dentro del criterio de promoción y de unidad de habitus, una óptica más amplia en cuanto a la percepción del fenómeno. En su dibujo del mapa de la novísima cuentística tendía a matizar las individualidades y a esbozar una tipología de los textos.

tores de la promoción anterior, fundamentalmente a López Sacha, Arturo Arango y Eduardo Heras León, quienes, con algunos aciertos innegables, acusaron sin embargo también cierta falta de objetividad al analizar los cuentos de los Novísimos en función de los suyos propios. A la división bipolar que estableciera Arango entre "violentos" y "exquisitos" en el artículo mencionado anteriormente, sucedería la establecida por López Sacha en 1994, donde se realizaba una subdivisión de dichos grupos. Aunque el crítico no lo especificara, su clasificación de autores coincidía, con alguna salvedad, con los grupos que se habían formado a finales de la década de los ochenta para franquear el muro del campo literario. Donde se hablaba de "iconoclastas", "rockeros", "tradicionalistas" y "fabulistas" se podía leer "Diáspora(s)", "El Establo", "El grupo de Eduardo Heras" y "Nos-y-otros", respectivamente. Bien es cierto que, *grosso modo*, la descripción realizada en aquel breve estudio aportaba ideas interesantes, pero se percibía cierta tendenciosidad en la filiación de los grupos. Hay que tener en cuenta que, en los años noventa, López Sacha ha ocupado diversos cargos de alta responsabilidad dentro de la UNEAC y sus opiniones y juicios han tenido una considerable fuerza dentro del campo. En la crítica realizada por los escritores precedentes se apreciaba un efectivo reconocimiento de los valores de la nueva narrativa, pero también resultaba evidente cierta voluntad de encauzamiento y control. De hecho, fueron escasas las reseñas que surgieron a raíz de la primera edición de "Pinos Nuevos" y, por el contrario, estos críticos consolidados en posiciones favorables optaron por la clasificación en términos genéricos. Esta tendencia a la generalización se vio favorecida por la crisis editorial y la publicación de antologías alimentadas por intereses foráneos que no siempre respondían a criterios literarios. Por otra parte, muchos de los escritores, entre ellos los integrantes de "El Establo", no tuvieron acceso a la convocatoria "Pinos Nuevos" puesto que sus libros habían sido premiados en los primeros años de la década lo que suponía que no eran noveles, aunque su obra se encontrara retenida en las prensas editoriales.

Uno de los primeros Novísimos que levantó su pluma para tomar cartas en el asunto fue Ronaldo Menéndez (1995b) al denunciar la deformación que se estaba llevando a cabo en el terreno crítico debido a la demora editorial, a la publicación de antologías "costeadas por colaboraciones internacionales que pretenden dar al lector foráneo una información exhaustiva y un paquete de venta" (54) y a los intereses personales de las descripciones elaboradas por los críticos. Con acertado juicio, el escritor entendía que, debido a la abundante reflexión crítica que emergió sobre un fenómeno que aún estaba en proceso de formación, la cuentística de los Novísimos se vio hasta cierto punto sometida a esos planteamientos críticos fabricados *a priori*. Se deduce de todo ello que existía un deseo institucional de legitimar las tomas de posición de los Novísimos para así acabar con el serio problema ideológico que éstas presentaban. Al igual que sucedió con los artistas plásticos fue éste el momento en que se produjo una ruptura en el seno de la promoción. Quienes se negaron a aceptar esta entrada por la puerta de atrás en el campo literario, renunciando a ciertos presupuestos éticos que los movían en un principio, adoptaron el exilio como vía alternativa, tal es el caso de Jorge Luis Arzola, del propio Ronaldo Menéndez, de Enrique del Risco, Rolando Sánchez Mejías, Waldo Pérez Cino y un largo etcétera.

Un caso particular es el de Pedro Juan Gutiérrez, quien aún hoy reside en Cuba, pues realizó su inserción en el campo literario cubano a través de su exitosa publicación en el extranjero, lo que le coloca en una favorable posición donde no influye la necesidad. Hay quienes, permaneciendo en Cuba, se han alejado en los últimos años del campo literario y del juego que en él se impone. Ciertamente algunos escritores persisten en el proyecto que compartió la promoción en su base, pero hoy actúan ya como "francotiradores".

No obstante, tras el exilio de una parte importante de los Novísimos, miembros de la promoción que habían accedido al aparato institucional de la cultura cubana, iniciaron una reescritura del proceso que, en ocasiones, adolecía igualmente de falta de perspectiva. Amir Valle, publicó artículos sobre la cuestión con cierta frecuencia y en el año 2001, un libro que levantó argumentadas oposiciones. Ronaldo Menéndez desde el exilio apuntaba la "alarmante tendencia a una entusiasta masturbación" (1998a:8) que se percibía en ciertos Novísimos residentes en la isla, con deseos de construir una cosmogonía de sí mismos. Para él, la causa de esta tendencia residía en la carencia de mercado y promoción interna del libro que presenta Cuba. Menéndez denunciaba la situación editorial del país y la censura que se ejerce sobre muchas obras que pasan los filtros culturales, pero no los de la imprenta. Éste fue el caso de los premios David de cuento de principios de la década, que no fueron publicados hasta varios años más tarde y con tiradas muy escasas, lo que impidió el surgimiento de un lector *ad hoc*. En opinión del escritor, la endogamia y la autorreferencia que se registraba a finales de los años noventa en la crítica nacional nace del limitado acceso que el público cubano ha tenido a estas obras. Efectivamente, en un campo literario atravesado continuamente por vectores procedentes de las instituciones políticas, las actividades de edición y distribución escapan de las manos de los escritores, pero también de las de las autoridades culturales.

La crisis continua que signa la realidad cubana, con la consecuente situación de urgencia y necesidad, ha deshecho parcialmente el proyecto ético de aquellos Novísimos que permanecieron en Cuba tras el exilio de la mayor parte de la promoción a mediados de los noventa. En la medida en que sus necesidades les han ido obligando, han accedido a convivir con algunos de los preceptos dogmáticos contra los que lucharon. Declaraba sobre este tema y a propósito de los integrantes de "Nos-y-otros", Enrique del Risco, exiliado desde 1995,

> [...] la mayoría continúa participando de la vida cultural del país y ha accedido con bastante fortuna a la televisión, el cine o el mundo editorial aunque en muchos casos haciendo dejación de los presupuestos estéticos iniciales y adoptando muchos de los esquemas anquilosados que pretendíamos superar. No lo digo en tono de reproche. Las circunstancias actuales son lo suficientemente brutales en lo económico y lo político como para no predicar el martirologio[11].

Eduardo del Llano (1998) y Rafael Águila de Borges han desviado la polémica cuestionando la existencia de la generación de los Novísimos como tal, en una defensa de la originalidad creativa de los individuos que nace de la concepción errónea del término "generación". Ronaldo Menéndez (1998b) y Raúl Aguiar, desde las acepciones de "*habitus*" y "campo", y Víctor Fowler (1999), desde la análoga "modelo del mundo", han insistido en la indudable coincidencia que existe en la perspectiva de los autores que han sido agrupados bajo el membrete de Novísimos. Ésta se ve marcada por una actitud crítica y una ética que subyacen en todas sus realizaciones estéticas. Esta idea es central para

---

[11] Entrevista personal registrada en 15.01.2001.

comprender el cuento que produjeron estos autores en la década de los noventa y el proyecto que en él iba implícito. Es cierto que en la actualidad, el fenómeno como tal ha quedado disuelto y, en cierto sentido, el proyecto truncado, al igual que sucedió con los Novísimos plásticos, quienes llevaron a cabo las primeras rupturas del campo artístico y literario. Los autores han alcanzado la madurez, cuando menos cronológica, y han definido un proyecto individual, marcado por las circunstancias específicas de cada uno.

5. Las agrupaciones

AGRUPACIONES DE ARTES PLÁSTICAS

La mayoría de los Novísimos, tanto los artistas plásticos como los escritores, se manifiestan en sus inicios creativos, que coinciden con los últimos años de los ochenta, integrando algún colectivo organizado. Esto tenía un evidente propósito: el de aunar esfuerzos que permitieran una mayor representatividad y fuerza de obrar a la hora de conseguir libertad de asociación y de abrir espacios públicos. Bien es cierto que también atenuaba el individualismo y el carácter "semi-divino" del artista, al tiempo que ayudaba a vencer los inevitables y lógicos miedos que supone enfrentarse a un sistema autoritario. Respondía por tanto, a una estrategia necesaria para llevar a cabo el objetivo que marcó a los artistas inicialmente, la deconstrucción de los tópicos y lugares comunes del discurso oficial del Partido Comunista que "sienten que están absolutamente estancados" (Camnitzer, 2003: 177, mi traducción). La visión del mundo que subyace en las diferentes prácticas artísticas, así como las poéticas que definen los principales grupos que han dominado el panorama de la cuentística cubana de los noventa, muestran conceptos estéticos y estrategias diferentes, pero coinciden en la base ética. En todos subyace la voluntad de crear un espacio público en el que discutir lo que de otra manera hubiera resultado imposible.

Gracias a la organización de sus actividades, "ARTE CALLE", formado en 1986, fue uno de los grupos artísticos más sólidos. La mayoría de sus integrantes procedían de la Academia de San Alejandro, y entre ellos la figura que se erigió como líder fue la de Aldo Menéndez, hijo de un reconocido pintor del mismo nombre. Una de las actuaciones más sonadas fue su irrupción en una sesión de arte celebrada en la Unión Nacional de Escritores y Artistas Cubanos en 1987, llevando máscaras de gas y cartulinas de gran formato o paneles críticos entre los que destacaba el de "Críticos de Arte: sepan que no les tenemos absolutamente ningún miedo". Parodiaban así un conocido cartel situado frente a la Oficina de Intereses Americanos de La Habana con el rótulo "Señores imperialistas

¡no les tenemos absolutamente ningún miedo!". Dejaban bien claro el que es uno de los principios motores de la generación: el deseo de deshacer las nociones y preceptos del arte canónico y su rechazo a cualquier tipo de dogma. En otra ocasión, se pintaron de dorado y se arrojaron a las aguas de la bahía de La Habana al tiempo que repartían pasquines con la inscripción "Easy shopping (Dutty Free)". Arremetían contra la venta del patrimonio nacional (joyas y objetos artísticos) que el Estado ha llevado a cabo para conseguir ingresar divisas en las mermadas arcas públicas.

Menéndez fue el protagonista de diferentes acciones orientadas hacia este tipo de reflexiones sobre lo legitimado y consignado como "verdadero arte". Una de ellas fue acudir vestido de aborigen a una conferencia de Robert Rauschenberg (quien había tenido una importante influencia en los pintores inmediatamente precedentes, sobre todo en Rodríguez Brey) en el Museo de Bellas Artes en 1988, cuestionando de esta manera el papel de colonizaje cultural y de sometimiento a los principios del *mainstream*[1]. Precisamente una de las críticas que los artistas recién incorporados al campo les hacen a los precedentes es el interés y esfuerzo que éstos desarrollaron por encontrar un espacio en el mercado internacional. En verdad el estatus alcanzado en menos de diez años por quienes se agruparon en torno a "Volumen I" fue considerable y les permitió recurrir a un exilio favorable cuando, en 1989, se inició la crisis económica y el cierre cultural.

Por otro lado, "Arte Calle" también manifestó una insistente voluntad de crítica en lo tocante al discurso oficial. En una acción individual en el centro de La Habana, Menéndez expuso un lienzo con el rótulo *Reviva la Revolu*, debajo del cual colocó un plato con el objetivo de que los transeúntes aportaran un donativo que posibilitara la conclusión de la obra. Este aspecto abre una dimensión que engloba la producción de la nueva generación de los años noventa: la reivindicación de un proyecto ético. Frente a sus inmediatos antecesores, los Novísi-

---

[1] La idea de *mainstream* parte de una concepción evolucionista de la historia de la estética y puede ser, por tanto, muy limitada. Considero que el uso que se le da en el contexto de las artes plásticas de países periféricos se refiere a las principales tendencias de los mercados del arte. No implica tanto una concepción de privilegio artístico, cultural o estético, sino de primacía en las vías de distribución, comercialización y difusión de la obra de arte en Occidente.

mos presentan mayores preocupaciones éticas, y anteponen éstas a cualquier otra, ya sea artística o económica. La crítica que desarrollan frente a las acciones gubernamentales se presenta como parte integral de su proyecto regenerador.

Otro de los grupos que aparecen en la escena de finales de los años ochenta es el "GRUPO PROVISIONAL", integrado por Segundo Planes (1965), que únicamente colaboró durante un breve periodo, Carlos Rodríguez Cárdenas (1962) y Glexis Novoa (1964). Hicieron especial hincapié en la elaboración de un nuevo ideario que identificara a su generación. Rodríguez Cárdenas consideraba

> [...] de gran importancia la unión temporal y provisional de grupos de artistas y sobre las bases de una propuesta formulada, trabajar. El pez grande se come al chiquito. Moraleja: en la unión está la fuerza (fuerza con eficacia). Por amor al arte y en defensa de la cultura cubana. (Roque, 1988: 6)

Con un carácter más lúdico que otros grupos, fueron quienes llevaron a un extremo su capacidad para obviar la individualidad tradicionalmente atribuida al artista e, incluso, llegaron a colaborar con otros grupos en sus *performances*. Así sucedió en el que protagonizaron los miembros de "Arte Calle" en la UNEAC, ya que "Grupo Provisional" intervino para darle un giro a la acción y convertirla en una entrega de premios cargados de ironía y juego, a la par que de reconocimiento[2].

El grupo "PURÉ" integró diversos miembros de los que posteriormente, y de forma individual, destacarían Ciro Quintana (1964) y Lázaro Saavedra (1964); en su nombre estaba implícita la intención de triturar el viejo ideario que tradicionalmente ha envuelto al artista y a su obra, para reconstruirlo desde presupuestos menos mi(s)tificadores. En unas declaraciones públicas, Saavedra reivindicaba "el arte como arma

---

[2] Los premiados fueron Flavio Garciandía (pintor y profesor del ISA) por su docencia, el crítico Gerardo Mosquera, por su dedicación a la producción de los jóvenes, y Aldo Menéndez padre (que dirigía el Taller Portocarrero donde trabajaban y recibían ayuda muchos de los jóvenes artistas). El agradecimiento implícito en todo premio era transgredido por el objeto que lo simbolizaba: un dibujo de un esqueleto con la inscripción "Yo no existo, sólo mi intención", que alude directamente al propósito de este grupo que, desde su propio nombre, entienden un Arte que se da únicamente en el momento en que se realiza.

de lucha y no como objeto decorativo indiferente y enajenado de los problemas humanos y sociales". (Roque, 1988: 6)

Por otra parte, el grupo "IMÁN" se destacó por su afán de asociar el arte a los acontecimientos simples y cotidianos. Para ello organizaban *happenings* en el parque situado en el cruce de la calle G con la 23, dos de las principales avenidas que cortan La Habana. En muchas ocasiones sus acciones levantaron cierta polémica e, incluso, agresividad en el público transeúnte. Es interesante señalar que algunos escritores colaboraron con ellos y, posteriormente, reflejaron la actividad plástica en relatos[3].

Algunos de los grupos formados no llegaron a darse nombre, como el integrado por Tanya Angulo (1968), Juan Pablo Ballester (1966), José Ángel Toirac (1966) e Ileana Villazón (1969), llamados por Camnitzer "ABTV". Se caracteriza por trabajar con técnicas de "apropiación"[4]. A la ya de por sí crítica dimensión de esta técnica se añaden otras de carácter social y referencial. En palabras de Luis Camnitzer "existe siempre un componente ético en la obra, un elemento de crítica socialista. La referencia al arte se convierte en una metáfora y no en un fin en sí mismo." (2003: 254, mi traducción). Aunque con interrupciones, son el grupo de mayor permanencia, pues mantienen su colaboración hasta 1992. Su trabajo posterior, ya de carácter individual, ha presentado diferentes trayectorias de las que quizá la más celebrada sea la de Toirac.

El tándem compuesto por Eduardo PONJUÁN (1956) y RENÉ FRANCISCO Rodríguez (1960) ha logrado que sus obras se reciban y perciban como obras de composición unitaria, ya que presentan mucha unifor-

---

[3] Fue el grupo literario "El Establo" quien más se interesó por la interacción con los artistas plásticos. La obra de dos de sus integrantes, Ronaldo Menéndez y Ricardo Arrieta, cuenta con relatos que así lo testimonian.

[4] Esta corriente, surgida en Europa y Estados Unidos en los años ochenta, consiste en representar una obra artística consagrada como propia. En la línea de Marcel Duchamp, la Apropiación presenta una crítica a las nociones de propiedad y originalidad y defiende la obra de arte en su dimensión ideológica y no en cuanto a su ejecución formal. Resultan evidentes las conexiones entre este tipo de práctica artística y la propuesta de Barthes en cuanto a la desaparición de la idea tradicional del autor. En este sentido muchos de los relatos de los Novísimos abordan la autoría desde un encuadre plural, ya que el receptor será tanto el gobierno y las instituciones, como el lector, cómplice del autor en su representación del mundo.

midad. En cuanto al contenido, el uso de la ambigüedad y de la polisemia al elaborar críticas políticas los separa de la actitud del resto de la generación. "LOS CARPINTEROS" trabajan, como Ponjuán y René Francisco, en el estilo de Equipo Crónica. Su originalidad fundamental reside en la manera en que suelen combinar la técnica pictórica con el trabajo artesanal. Su nombre deriva de que habitualmente utilizan la madera en su obra pictórica y, en algunos casos, la utilizan como elemento fundamental en instalaciones de mediano o gran formato. El grupo está compuesto inicialmente por Marco A. Castillo (1971), Dagoberto Rodríguez (1969) y Alexandre Arrechea (1970), quienes se asociaron en sus años de estudiantes del Instituto Superior de Arte de La Habana y, como colofón de sus estudios artísticos, presentaron conjuntamente su trabajo de grado en 1994. Los contenidos de su obra se emparejan con la mixtura técnica y presentan una atractiva asociación de crítica, parodia y juego. En muchos casos, sus obras están hechas a partir de un objeto cotidiano cuya función habitual queda cuestionada al presentarse como obra de arte. En "La catedral" (1995) [lámina 1] se utiliza el icono habanero para realizar una crítica socio-económica. Dos turistas, representados bajo el estereotipo del ingenuo, mal vestido y adinerado visitante norteamericano o europeo, observan la catedral de La Habana guiados por un joven y desparpajado mulato. El espectador pasa a ser parte del grupo representado, en tanto que observador de la catedral, que está labrada en madera y sirve de marco al lienzo. La claridad expositiva es una de las tónicas del arte de los Novísimos ya que el objetivo de la obra es el de abrir ese espacio público de diálogo y discusión. Resulta interesante traer hasta aquí las consideraciones de Bourdieu (2000) al respecto:

> La legibilidad de una obra de arte está en función de la distancia entre el código que exige la obra y la competencia individual, definida por el grado en que el código socialmente imperante, a su vez más o menos adecuado, se domina. [...] Cuando el mensaje supera sus posibilidades de percepción, al espectador, incapaz de recibir la información, sólo le queda la elección de desinteresarse de lo que percibe. (38)

Asociaciones de artistas siguen apareciendo una vez superado el año 1995, cuando el exilio es ya la opción mayoritaria, ese es el caso de

Lámina 1. Los Carpinteros, "La catedral" (1995).

Lámina 2. Gabinete Ordo Amoris, "Taxi-Limusine" (1998).

"GABINETE ORDO AMORIS"[5], compuesto por Francis Acea (1967) y Diango Hernández (1970) que, al igual que "Los Carpinteros", fueron compañeros en el ISA. En el Foro Ludwig para la Cultura Internacional, celebrado en Aachen en 1998, los artistas presentaron instalaciones a gran escala en la que aparecían objetos de fuerte valor simbólico en el contexto social cubano. En "Taxi-limusina" (1998) trabajaban sobre el símbolo cubano de los años de influencia soviética, el automóvil de marca Lada que, a pesar de haber sido convertido en una escasamente sofisticada limusina, sigue llevando una gran carga. Las referencias del objeto elegido y de la manipulación que ha sufrido son múltiples. Por un lado remite al nivel de lo cotidiano, específicamente a los problemas de transporte que sufre el país y a la estrategia de supervivencia que constantemente reconvierte objetos, debido a la escasez de productos manufacturados. Por otra parte, además de la evidente alusión al exilio, el automóvil soviético remodelado, sugiere la idea del estado cubano, cuyas reformas no han modificado su estructura, dando como resultado un objeto curioso que, a pesar de sus pretensiones, sigue funcionando a nivel básico, aunque con una carga multiplicada. [lámina 2]

---

[16] Destacan también el Grupo Punto, que trabaja en el interior del país, y Galería DUPP.

AGRUPACIONES LITERARIAS

Al igual que los artistas plásticos, la estrategia inicial que encontraron los jóvenes autores para sostener una oposición coherente a la férrea estructura del campo cultural ortodoxo fue la de agruparse conforme a sus afinidades en cenáculos o grupos, capaces de erigirse en una voz única y vehemente Cada uno de estos grupos tiene un carácter específico que se traduce en una realización literaria concreta, no obstante, todos ellos formaron parte del proceso de desarticulación de los vectores de fuerza que componían el campo literario. Su actividad, que en bastantes casos lindaba la ilegalidad y en casi todos afectaba seriamente a los paradigmas ideológicos de las altas instituciones burocráticas, desmontó viejas prácticas y dio paso a la época más importante, culturalmente hablando, que ha vivido Cuba en los últimos cuarenta años.

"El Establo" fue la sede de escritores ocupados por elaborar un corpus de cuentos testimoniales que hablara de la realidad de los jóvenes cubanos, ajena a la uniformada seriedad que describía el imaginario de la Unión de Jóvenes Comunistas. Completamente diferente al anterior en su práctica, que no en su intención, el proyecto "Diáspora(s)" disfruta de un gusto elitista que vuelve la mirada sobre la literatura apoyada en la tradición cultural, rompiendo con la línea populista y comprometida que había definido el hecho literario en la Revolución. El tercer grupo, a mi entender poco valorado y considerado hasta ahora, fue el que reunió al colectivo de humoristas. Se concentraron fundamentalmente en el grupo "Nos-y-otros" y en torno a la revista *Aquelarre* y sufrieron, de una manera ambigua, la censura de un aparato burocrático enemigo de la risa. Por último, el grupo que surgió en Santiago de Cuba, "Seis del ochenta", y que, como veremos, ha mostrado una mayor adhesión a líneas de trabajo literario que no ocasionaran una ruptura drástica ni problemática. Anterior a todos estos fue el grupo "PAIDEYA" que se definió como una asociación intelectual independiente y fue pionera en reivindicar el derecho de libre asociación en los ochenta. El interés común que unía a sus miembros era el deseo de leer y analizar la filosofía occidental contemporánea que era prácticamente inaccesible y estaba fuera de los planes de estudio universitarios. Su intención no era sólo abrir su horizonte de conocimiento, sino fomentar ese mismo anhelo en otros, de ahí que abrieran una biblioteca en el apartamento de uno de los miembros. Estuvo compuesto por Emilio García Montiel, Ernesto Hernández Busto, Emilio Ichikawa, Iván de la Nuez, Antonio José Ponte, José Manuel Prieto y Rafael Rojas, la mayoría hoy en el exilio. Fundamentalmente se han dedicado al ensayo y la poesía, su seriedad y rigor intelectual hace de todos ellos nombres esenciales a la hora de entender el proceso de cambio que ha acontecido en Cuba durante las últimas décadas.

En abril de 1988, un grupo de jóvenes ponía en circulación una revista de factura manual que llevaba por nombre "EL ESTABLO", que era el mismo con el que se habían bautizado un año antes[6]. En la primera página de aquel primer número, se presentaban al público y exponían su credo literario, cifrado en el compromiso social y el espíritu constructivo. Alcanzaron a sacar un segundo número, en el que insistían en la idea de que "la cultura no es un hecho aislado de la problemática social" y en la importancia de difundir "una literatura viva, polémica, que despierte constantemente el interés del lector por eso, esa realidad nuestra, reflejo de nuestros días, no importa el estilo ni la forma empleada para lograrlo"[7].

En torno a la figura de Raúl Aguiar (1962), giraron las de Ricardo Arrieta (1967), Sergio Cevedo Sosa (1956), Daniel Díaz Mantilla (1970), Karina Mendoza (1971), Ronaldo Menéndez (1970), Verónika Pérez Kónina (1968), Ena Lucía Portela (1972) y José Miguel Sánchez (1969). Participaron como grupo en numerosas actividades literarias públicas y desde el principio colaboraron con algunos artistas plásticos como Abdel Hernández, Nilo Castillo o René Francisco. Fusionaron la lectura de cuentos con montajes dramáticos, *performances* y otras actividades experimentales[8]. Su obra inauguró la que durante una década se llamaría "literatura *freakie*"[9], que daba la voz literaria a un nuevo sujeto que exhibía un modo de vida en el que la música rock, las drogas, el alcohol

---

[6] El nombre viene del grupo protagonista de la novela *Itzam Na* de Arturo Arias que había ganado el premio de novela Casa de las Américas en 1985.

[7] *El Establo, Revista Literaria Juvenil,* La Habana, 1989, p. 1.

[8] La tesis de Licenciatura de Ronaldo Menéndez, ya mencionada anteriormente, da buena cuenta de todo ello y se convierte en un testimonio personal acerca de los primeros movimientos literarios y artísticos que se llevaron a cabo para desarticular el entonces oxidado campo cultural de Cuba.

[9] El término procede del inglés y se puede traducir por "extraño" o "marginal". Es de uso habitual en el habla cubana.

y la problemática emocional y existencial de la adolescencia eran los elementos fundamentales.

En 1987, Sergio Cevedo gana el premio "David"[21] de cuento con *La noche de un día difícil*; en 1988 lo hará Verónica Pérez Kónina con el conjunto de relatos *Adolesciendo* y, al año siguiente, Raúl Aguiar con *La hora fantasma de cada cual*. En 1990, dos nuevos integrantes de "El Establo", Ronaldo Menéndez y Ricardo Arrieta, consiguen el galardón con *Alguien se va lamiendo todo* y, en ese momento, el grupo se diluye definitivamente. El reconocimiento y la relativa "legitimación" del premio animaron a los componentes de "El Establo" a iniciar "carrera en solitario", pues creían ya haber superado la etapa de formación y se encontraban suficientemente firmes, literariamente hablando, como para elaborar un proyecto propio. Por otra parte, los grupos plásticos también se fragmentaban, una vez que se había roto el silencio y se percibían ya movimientos orientados a un nuevo ordenamiento de las fuerzas del campo. Aunque el "David" sea un premio institucional, obtenerlo no supone que el contenido se someta a determinados preceptos, ya que los jurados han estado integrados habitualmente por creadores que han sabido percibir la importancia de la nueva literatura emergente. *La hora fantasma de cada cual*, un libro ajeno a inhibiciones culturales y adscrito a un realismo de corte urbano y sucio, mostraba en 1989 aspectos como el de la prostitución juvenil con los turistas, el consumo y la desigualdad social, pero no fue publicado hasta 1995. Así mismo, *Alguien se va lamiendo todo* de Arrieta y Menéndez, sin duda muy arriesgado en el momento en el que se escribió, no fue publicado hasta 1997, cuando ya no podía levantar las llagas que sí provocaron, por su inmediatez, las acciones plásticas.

Este último libro está dedicado al grupo y contiene veintiún relatos de los que destacan, por su elaboración, estructura y repercusión, los vinculados con la plástica. En buena parte son relatos de carácter testimonial que dan cuenta de *performances*, instalaciones, lienzos y otras actividades y obras artísticas que fueron ejecutadas con un determinado

---

[10] Este premio es otorgado por la UNEAC y su editora correspondiente, Unión, en colaboración con la Asociación Hermanos Saíz (Organización Cultural de la Unión de Jóvenes Comunistas). Inaugurado en 1967 con una dotación de 1000 pesos cubanos, pretende apoyar e impulsar la obra de jóvenes y noveles creadores en los géneros de cuento, poesía, teatro y ensayo.

efecto social. El tono del discurso resulta en determinadas ocasiones un tanto pretencioso, lo que no es extraño si tenemos en cuenta que sus autores contaban con poco más de veinte años cuando lo redactaron. En el primer texto del libro, "Prefacios", se exponen ya algunas ideas sociales sobre el ejercicio literario,

> La posibilidad de cuestionar el espacio.
> Podría quedar detrás la cerca rota. [...]
> Surge el títere.
> Todo es funcional de algún modo. Hasta el títere.
> Hasta sobre el títere se pierde el control. (9-10)

Alguien se va lamiendo todo constituye un intento de búsqueda estética en el que la experimentación formal y la reflexión sobre el carácter del hecho literario tratan de conjugarse con la concepción social del mismo. Uno de los elementos recurrentes es la metanarratividad, el discurso que se ve y analiza a sí mismo y el narrador que vuelve sobre sus pasos o los adelanta. Como se ha dicho, la mayoría de los cuentos presentan un marcado carácter testimonial y autobiográfico, aunque cediendo gran importancia al sentimiento de grupo o comunidad. En estos relatos, el narrador pretende erigirse como portavoz de un determinado grupo y, a través del texto, realizar una exhibición reivindicativa de su propio modo de vida. "La horma", de Ricardo Arrieta, fue uno de los primeros cuentos que relataban la carga policial en un congreso de rock y el encierro de los detenidos. El narrador, uno de ellos, nos presenta su versión de los hechos mientras nos deja ver los elementos que conforman su mundo, la música rock, las chicas y los amigos. En la misma línea, el cuento "La moneda, la bóveda, yo sólo trato de alcanzar", de Ronaldo Menéndez, tuvo un amplio impacto, pues relataba la reunión de un grupo de jóvenes que, en los límites de la rebeldía, se inyectaban el virus del SIDA. La voz de un grupo social, el de los jóvenes, que encontró en la Cuba de finales de los años ochenta numerosas limitaciones intenta abrir en este relato "una reflexión feroz sobre el vacío que seca los objetivos vitales convirtiendo la muerte en un juego más." (José Miguel Sánchez 1998: 92)

El cuento que le da nombre al libro, perteneciente a Arrieta, se construye como un *performance* que alberga dentro de sí, y entre otros elementos, la narración de una discusión sobre la plástica joven celebra-

da en la UNEAC en el año 1988 y protagonizada por el teórico Deside-
rio Navarro y el crítico de arte Gerardo Mosquera. La línea del relato
sigue la experiencia del narrador y protagonista que abandona la reunión para acudir a una fiesta en la que, lógicamente, la música, el sexo y
el alcohol son el escenario de la irremediable soledad en que el protagonista está sumido.

El cuento "Tocata y fuga en cuatro movimientos y tres reposos", de
Menéndez, sigue la línea de insertar lo plástico en la literatura. En este
cuento se describen algunas de ellas con la intención de recrear sus imágenes en el texto. Entre otras, se describe la que desarrolló Aldo Menéndez en una calle de La Habana con su lienzo "Reviva la Revolu", la de
Carlos Rodríguez Cárdenas, del "Grupo Provisional", que pintó su cuerpo a modo de casa de ladrillos[11] o las muestras del parque G y 23 en el
año 1988. De factura experimental, el relato abunda en referencias
sobre sí mismo y el final resulta un cruce entre la línea histórica y la que
traza el discurso literario,

> Cuando por fin salimos Alexis me invita a su casa que queda cerca pero
> rechazo la oferta. Aún trata de convencerme entonces le comento que debo ter-
> minar una historia sobre la plástica joven y todo ese asunto, también le digo que
> él va a ser un personaje y el final será algo así como esto. (90)

En la misma línea que el cuento anterior se sitúa "La culpa", de
Arrieta, aunque en este caso se cuestiona la repercusión social de una
actividad plástica y las consecuencias para los artistas que la llevaron a
cabo. Se incide también con cierto énfasis en el aspecto de la censura y
de la coerción que ejercieron los agentes de la Seguridad del Estado y la
policía sobre las manifestaciones literarias y artísticas de los Novísimos.

A propósito de otro cuento de esta colección, "Habrá que sacarle
el espíritu a la botella", Jorge Brioso escribía en 1994 sobre las dos pul-
siones encontradas que se sentían en los relatos pertenecientes a estos
autores. Por un lado, "una voz autoral de un marcado carácter lúdico,
que dice ser reflejo del *modus vivendi* de sus personajes" y por otro
"una escritura autoconsciente de sus mecanismos de producción y
cuestionadora de los mismos". Lo que se plantea es si existe la posibilidad real de que el "subalterno" tome la palabra a través de un agente

---

[11] Su fotografía fue portada de *El Caimán Barbudo*, nº8, 1988.

que, cuando lo hace, está utilizando un código marcado por signos ajenos a la clase o grupo desde el que habla. "¿Cómo decirse sin dejar de pertenecer al grupo, sin convertirse en una instancia de poder que inscribe su decir sobre el silencio de otros?". El hecho de que el testimonio sea la estrategia que prima inicialmente en los relatos de estos autores en su primera etapa literaria, obedece a la inmediatez e intimidad que le proporciona al discurso, que adquiere así una mayor fuerza de impacto.

La disolución de "El Establo" supuso el inicio de un camino literario que, en algunos de los autores, hoy se presenta firmemente consolidado. Ena Lucía Portela es una de las voces femeninas más interesantes del panorama literario cubano, reside en la isla y cuenta hoy día con tres novelas y dos volúmenes de cuentos. Ronaldo Menéndez desarrolla su carrera literaria y profesional fuera de Cuba. Raúl Aguiar ha publicado una novela recientemente y, coherente con su concepción social y performativa del hecho literario, participa en diversos proyectos culturales. Por otra parte, Verónica Pérez Kónina regresó a principios de los noventa a Bielorrusia, donde había nacido, y Ricardo Arrieta no ha publicado hasta hoy ninguna obra individual, aunque sigue escribiendo y llevando a cabo actividades experimentales. José Miguel Sánchez se ha dedicado a la ciencia ficción y ha publicado una novela de este género.

En el otro extremo de la realización estética, se sitúa el proyecto (no se define como grupo) "Diáspora(s)", surgido en La Habana en 1993. A partir de 1997 publican esporádicamente una revista homónima distribuida desde La Habana y con una tirada de sólo 100 ejemplares. El elenco de sus integrantes incluye a poetas y narradores y, en algún momento, se han adherido eventualmente artistas de esferas no literarias. En 1994, poco después de su articulación, Ricardo Alberto Pérez, poeta, desde 1998 exiliado en Brasil, declaraba:

> "Diáspora(s)" más que un grupo es, por decir de algún modo, un antigrupo, la extrañeza de aquello que confluye en el momento que se dispersa. "Diáspora(s) parece ser una posición alternativa en las letras cubanas, una respuesta al cansancio de la escritura, aquello que ha sido fruto de la marginalidad y la productividad del texto al mismo tiempo; "Diáspora(s)" parece ser un mecanismo de diferenciación en un contexto en que el maldito igualitarismo pretende resolverlo todo con el ligero movimiento del dedo y el susurro de la palabra "ustedes".

Creo que en el grupo hay dos tendencias fundamentales, la que milita aún del lado de los materiales de la ontología y otra que se acerca más a la naturaleza de los performances y la deconstrucción[12].

Aunque no existe un liderazgo expreso, la figura más sobresaliente del proyecto es la de Rolando Sánchez Mejías (1959), poeta y narrador. El resto de los integrantes son Carlos Alberto Aguilera (1970), Pedro Marqués de Armas (1965), Ricardo Alberto Pérez (1963), Ismael González Castañer (1961), adscritos éstos fundamentalmente al género poético, y Rogelio Saunders (1963), Gerardo Fernández Fe (1971) y José Manuel Prieto (1962).

Sus señas de identidad son la voluntad transgresora y desmitificadora, especialmente con respecto a los paradigmas estéticos y conceptuales revolucionarios, y la condición ética de la práctica literaria, más allá de adscripciones de índole política. En iniciales clasificaciones fueron denominados "iconoclastas" precisamente por la voluntad de derribar ídolos que los caracteriza. Un aspecto que domina sus textos es el intento de desmontar las trivializaciones y lugares comunes que sobre "lo cubano" se han elaborado y utilizado como estrategia de distribución y comercialización, tanto desde el interior como desde fuera de Cuba.

No es que "Diáspora(s)" prescinda de Cuba, de "lo cubano", *au contraire*, pero lo hace desde determinados niveles de "complejidad", no como aceptación pasiva de algo así como "lo cubano", el barroco insular, el "folclorismo" de nuevo cuño y el "post-origenismo" más pasivo, que ve la literatura como símbolos líricos[13].

Su oposición a los cánones de literatura realista que se impusieron en los años sesenta se extiende al testimonio que se elaboró en los años noventa, como el que practicaron los integrantes de "El Establo", aunque éstos utilizaran sólo la forma y le dieran un contenido diferente. En su opinión, la literatura cubana se ha descompuesto en un ejercicio de referencialidad básica que ha abandonado el cultivo del concepto, elemento que consideran fundamental. Su enfrentamiento con el realismo

---

[12] Declaración del escritor en una entrevista personal registrada a finales de septiembre de 1994.
[13] Rolando Sánchez Mejías, entrevista personal, 18.01.2001.

como estrategia literaria es total, de ahí que una de las influencias más notables del grupo sea el escritor argentino Macedonio Fernández con el que también les une la concepción de la literatura como proceso. Los relatos muestran un carácter fragmentario, la anécdota es en muchos casos imperceptible y, en otros, inexistente. El tema de fondo que aparece es siempre crítico y dramático, patético en ocasiones y demoledor en otras.

El primer número de la revista se abre con un manifiesto en el que Sánchez Mejías define, a través de citas y diferentes fragmentos, la poética del grupo. Además de las características anteriormente especificadas, se desprende de él un reafirmado tono beligerante que nos acerca a la otra gran influencia perceptible en "Diáspora(s)", la escuela de pensamiento francesa del siglo XX. Louis Althusser, Michel Foucault, Roland Barthes y Gilles Deleuze son referencias constantes a la hora de analizar y entender la obra poética o cuentística de estos autores. La producción literaria, siguiendo el concepto de "toma de posición" bajo el que la denomina Bourdieu, es también un juego y, tal y como lo expone Jean-François Lyotard (1989), una forma de luchar y combatir. "Diáspora(s)" practica la idea del lenguaje como "agonística", el juego y la lucha dentro de un mismo concepto creado con el lenguaje.

Siguiendo a Deleuze, el devenir, la multiplicidad del ser que el "saber legitimado" y el poder han encasillado en nociones basadas en la unicidad es otro de los sustentos de esta formación. Es por ello perfectamente posible que a pesar de que sus integrantes habitaran en diferentes puntos geográficos, tanto el proyecto como la publicación siguieran su andadura. Las esferas culturales oficiales fueron intolerantes con la publicación y no se mencionó su existencia en sus órganos culturales. En el ámbito del exilio tampoco fue bien recibida, pues rompía las trilladas y manipuladoras líneas con las que algunos grupos han ejercido su oposición al castrismo.

Destaca en "Diaspora(s)" la concepción elitista del quehacer literario que se explica como reacción al "populismo" cultural que marcó la Revolución y que, aún considerando sus logros sociales, rebajó el papel de los intelectuales que mostraran adhesiones intelectuales a líneas desestimadas por la cultura dirigida institucionalmente. No obstante, y como ya se ha señalado, sus miembros ejercen una militancia literaria que se rige por la coherencia intelectual.

El grupo "Nos-y-otros" surgió en La Habana a mediados de los ochenta y durante tres lustros mantuvo una actividad que disolvía las fronteras existentes entre el ejercicio literario y el interpretativo. Estuvo compuesto por Enrique del Risco (1967), literariamente el miembro más relevante, Eduardo del Llano (1962), Jorge Fernández Era (1962), Luis Felipe Calvo Bolaños (1956) y de Aldo Busto Hernández (1962) que perteneció a la formación únicamente entre 1985 y 1989. Para todos ellos existía un elemento unificador, el humor, componente fundamental de su obra de creación, conjunta o individual. En sus tomas de posición estos artistas se definen como "humoristas" y bajo ese rótulo se agruparon con el objetivo de darle nueva vida a un aspecto esencial de la idiosincrasia cubana que, por imposiciones ideológicas, había sido relegado de la actividad pública en el periodo revolucionario. Dice a este respecto Enrique del Risco,

> El cultivo más o menos unilateral del humor se había mantenido desde inicios de la revolución arrinconado por la agresiva suspicacia de un régimen mesiánico y necesariamente grave, alérgico a cualquier intento de no tomarse lo suficientemente en serio "la realidad de la revolución" que era la del país todo[14].

"Nos-y-otros" coincidió con otros grupos humorísticos que habían tomado forma simultáneamente y con los cuales se relacionó activamente[15]. La eclosión de grupos de esta índole, la mayor vivida en Cuba en el siglo, se debe a la esencial condición subversiva del humor que se avenía extraordinariamente con el afán de cambio y demolición de los jóvenes. Fruto de ese contacto entre los grupos, surgió en el seno del "Nos-y-otros" la idea de configurar una publicación mural dedicada al humor que abriera el perdido contacto con el público lector. Conviene señalar al respecto que las publicaciones humorísticas que existían en Cuba, incluido el periódico *DDT* –el más popular e incómodo para el régimen–, habían desaparecido con la crisis del llamado "periodo especial".

---

[14] Entrevista personal registrada el 15.01.2001.

[15] De esos contactos merece especial mención el que tuvieron con Ramón Fernández Larrea (1958), poeta y locutor de su propio programa, "El programa de Ramón", en el que el humor era el hilo que daba cohesión a un contenido diverso. Fue un hito en La Habana de principios de los noventa y un emblema para la generación de los Novísimos.

El proyecto se llevó a cabo con la celebración a finales de 1993, de un festival de humor que fue bautizado con el nombre de "Aquelarre" y una revista homónima que no vio la luz hasta septiembre del año siguiente, momento en el que fue retirada fulminantemente de la venta al público y vetada irreversiblemente. El artículo que abría el primer y único número venía firmado por Eduardo del Llano, director de la revista, y con el título "En silencio han querido que sea" abría fuego hilarante sobre uno de los soportes del discurso político oficial, José Martí[16]. Daba minuciosa razón de los grupos humorísticos jóvenes en Cuba y detallaba un número de principios o características que definían el humor de la nueva generación de humoristas cubanos y de lo que allí se podía leer. El texto supone en sí un manifiesto poético y de él se pueden extraer, como principales características las siguientes:

–El énfasis ejercido sobre el chiste conceptual.
–La vinculación con otras esferas artísticas, como la literatura.
–El "eclecticismo en el empleo de los mecanismos de lo cómico"[17].
–La voluntad iconoclasta con respecto a lo ideológicamente establecido con un objetivo específico y dominante de denuncia social.
–El uso y montaje de textos propios.
–La preservación de la individualidad aún dentro de la dinámica de grupo.

Todas estas características las encontramos en los cuentos firmados por "Nos-y-otros" o, individualmente, por sus integrantes. Cabe destacar que la filiación de los humoristas al género del cuento se debe, precisamente, a lo argumentado anteriormente acerca de su condición eminentemente crítica. De hecho, existe un repertorio subgenérico, que va desde la sátira menipea hasta el chiste, tradicionalmente asociado a una intención humorística. Los cuentos de estos autores son de carácter

---

[27] Los textos del poeta y pensador han sido sesgados y utilizados interesadamente por todos los gobiernos que ha tenido Cuba a lo largo del siglo XX. No sólo en el discurso oficial y en el erudito, sino también en el habla popular y coloquial cubana es frecuente hallar sentencias, frases y dichos pertenecientes o atribuidos al autor de los *Versos sencillos*. En este caso la frase original de Martí fue "en silencio ha tenido que ser" y se refería a la organización clandestina de la lucha independentista.

[17] *Aquelarre*, n° 1, La Habana, 1994, p. 3.

breve, pues buscan el golpe de efecto, el momento de intensidad que invierte el sentido del relato y provoca la risa.

Los cuentos que fueron publicados con la firma del colectivo, aunque escritos en su mayoría por Luis Felipe Calvo y Eduardo del Llano, se editaron en publicaciones periódicas, antologías y en un volumen de cuentos, *Basura y otros desperdicios* (1994). Jorge Fernández Era integró la edición de Pinos Nuevos de 1994 con un interesante conjunto de cuentos que llevaban por título *Obra inconclusa*. Eduardo del Llano publicó en cuento la plaquette *Criminales* (1994), *El beso y el plan* (1997) y *Los viajes de Nicanor* (2000), además de varias novelas breves. Enrique del Risco destaca por la calidad y fuerza de su obra cuentística, de la que se hablará detenidamente en los próximos apartados. En los cuentos de todos ellos el humor sustituye al conflicto, siempre con el objetivo de enfocar desde una lente más nítida el absurdo de la burocracia, de ciertas normas establecidas y de los paradigmas ortodoxos ajenos a la lógica común. La instancia narrativa de estos relatos se mantiene en un discreto segundo plano desde el que ocasionalmente emite sus juicios.

Si bien la revista *Aquelarre* no volvió a editarse, a excepción de 1994, el festival de teatro de humor ha seguido celebrándose. Responde este hecho a la estrategia que ha permitido las representaciones teatrales, a pesar de su marcado carácter crítico, pero que, sin embargo, ha evitado la distribución de los textos en que éstas se apoyan. El control y la censura de las manifestaciones artísticas son permanentes, aunque, a veces, se manifiesten de forma insólita.

La importancia del grupo "Nos-y-otros" ha sido fundamental dentro del humor cubano de los noventa[18] gracias a los numerosos espectáculos que representaron, de los que proceden algunos de los textos publicados. A finales de los noventa presentaron el montaje "El asesinato de Elpidio Valdés" que revisaba el desarrollo ideológico de la sociedad cubana tras los catastróficos sucesos que marcaron el fin de siglo. Elpidio Valdés es un mítico superhéroe de los dibujos animados cubanos que infligía sucesivas derrotas a los españoles en la guerra de independencia. A mediados de los noventa, en una de las primeras intervenciones de capital extranjero, una empresa española inició la producción

---

[18] Una apropiada valoración de su larga trayectoria profesional la traza Joaquín Borges-Triana (1998).

de la serie televisiva y cambió el sino de los estigmatizados "gallegos". El caos ideológico y el escepticismo que domina la Cuba de principios del siglo XXI es la consecuencia de la desmesurada manipulación de los acontecimientos, realizada tanto desde el sistema castrista como desde la oposición norteamericana, así como de las condiciones de supervivencia doméstica que se imponen en la deteriorada economía de los cubanos.

Existe una zona de confluencia entre el colectivo de humoristas y ciertos artistas plásticos, básicamente caricaturistas, quienes habían estimulado un arte conceptual con un alto grado crítico en los años ochenta. Ambos colaboraron y coincidieron con el espíritu de publicaciones humorísticas como *DDT*. Destacan los nombres de Manuel Carlucho, Ajubel, Ares y, sobre todo, el de Antonio Eligio "Tonel", a quien corresponden obras emblemáticas de la plástica Novísima.

Por último, el grupo "SEIS DEL OCHENTA" presenta la particularidad de surgir en el extremo oriental del país, en la ciudad de Santiago de Cuba, caracterizada por mostrar una línea conservadora en su adhesión ideológica y considerada el bastión del fidelismo. Curiosamente los integrantes de este grupo presentan una ruptura limitada en su obra y mantienen cierta línea de continuidad con la cuentística precedente. Su filiación remite a la cuentística de los sesenta que abordaba "el acontecer revolucionario más o menos inmediato, explícitamente y de manera artísticamente efectiva" (Redonet, 1994: 83). La ficción narrativa de esos relatos se vinculaba directamente con la historia inmediata del país. Destacaba la violencia con que se articulaba la forma, a través del lenguaje, de las técnicas y de las estructuras, y el contenido temático, que versaba sobre al enfrentamiento armado de la Cuba de los sesenta. Recibió por ello el nombre de "narrativa de la violencia" y es un referente fundamental gracias a su calidad literaria, con la que fue parte y, a su vez, dio forma (a través de su amplio y elaborado corpus de cuentos) a una de las etapas históricas más importantes de Cuba[30].

---

[30] Fundamentalmente hablamos de *Los años duros* (1966) de Jesús Díaz, *Días de guerra* (1967) de Julio Travieso, *Condenados del Condado* (1968) de Norberto Fuentes, *Abrir y cerrar los ojos* (1969) de Onelio Jorge Cardoso, *Tiempo de cambio* (1969) de Manuel Cofiño, *Los pasos en la hierba* (1970) de Eduardo Heras León y *Escambray 60* (1970) de Hugo Chinea.

"Seis del ochenta" surgió como apéndice de un taller literario[20] y coincidió en los habituales encuentros nacionales con escritores de similares prácticas procedentes de La Habana y otros puntos geográficos de Cuba. Sus componentes más relevantes, Alberto Garrido (1966), Amir Valle (1967) y José Mariano Torralbas (1962), engrosaron junto con Ángel Santiesteban (1966), Alfredo Galiano (1967), Roger Daniel Vilar (1968) y Alberto Guerra (1963) un nuevo grupo, tutelado por Eduardo Heras León, radicado en La Habana. En buena parte de su narrativa han seguido la línea que su maestro había trazado con libros de cuentos como *La guerra tuvo seis nombres* (1968) y *Los pasos en la hierba* (1970).

La novedad de estos autores radica en la nueva perspectiva adoptada en el tratamiento de temas épicos. Fundamentalmente desmontaron la perspectiva heroica de la historia revolucionaria a través de un enfoque crítico del internacionalismo bélico. Desmitificar el proceso de formación de héroes patrios y de la épica de un régimen ideológico, todavía amparado en la lucha armada, ha sido una de sus principales vías temáticas. Participaron también, junto a miembros de otras agrupaciones, de la crítica "a la intolerancia, el abuso del poder, la rigidez y la oxidación de las costumbres"[21] y llamaron la atención sobre la incomunicación existente entre las instituciones políticas y los individuos. No obstante, la carga crítica de los cuentos de estos autores nunca fue "excesiva". En realidad son continuadores de la narrativa revolucionaria por antonomasia, la que hablaba de un mundo en el que la fuerza y la imposición de la violencia eran necesidades, un mundo de carácter fundamentalmente masculino del que la mujer estaba excluida. Sus relatos mantienen un corte clásico, aunque presentan en ocasiones experimentaciones formales. En general, conflicto, anécdota y argumento se conservan en su acepción clásica y los personajes cruzan el relato movidos por un conflicto específico que buscan solucionar.

---

[20] Llegaron a editar una publicación periódica, *Tabú*, de pequeña tirada (50 ejemplares) en el año 1985, a través de la que se hicieron eco de algunas de sus propuestas.

[21] Salvador Redonet, "En los umbrales del siglo XXI: jóvenes cuentistas cubanos (y otras etcéteras)", conferencia leída en Hunter College (Nueva York) en abril de 1995, inédita

No todos los autores participaron en estos grupos, pero sí actuaron y tomaron posiciones, a través de sus cuentos, amparándose en la zona franca que se había formado con su puesta en activo. En cierto sentido, existían muchas afinidades, dentro de la diversidad, que nacían del *habitus* común y que orientaban a los autores en alguna de las direcciones estéticas y éticas contenidas en los presupuestos de los grupos.

6. Maneras de obrar

FORMAS EN EL ARTE VISUAL

A finales de los años noventa, gran parte de los artistas que se iniciaron en los grupos de acción pública habían trazado una sólida línea que perfilaba con nitidez sus trabajos artísticos y ciertos nombres han alcanzado la valoración internacional que consiguieron los miembros de "Volumen I", aunque las circunstancias varían en función de su localización. Los artistas que optaron por el exilio han encontrado las dificultades propias del desarraigo y la inserción en un medio ajeno y por demás competitivo. Los que decidieron permanecer en la isla han recibido en buena parte el apoyo institucional que, en los últimos años, ha hecho de las artes plásticas, y de la cultura en general, un servicio "propio de una economía para turistas y de su intercambio con el mundo global" (Nuez, 1998b: 28). No obstante, en muchos casos se mantienen los presupuestos éticos que presentaron en sus obras colectivas y que pueden resumirse en una actitud crítica frente a las instituciones políticas y culturales, junto con el rechazo por el arte elitista y exclusivamente comercial y la reivindicación de un arte accesible y terapéutico. Los rumbos y estilos que se han seguido han sido muy dispares, aunque existe un común denominador que pasa por crear un imaginario cubano surtido en un grado casi absoluto del repertorio visual de lo vernáculo. Se une a este anhelo el ya citado afán comunicativo de los artistas. La ruptura con el arte académico y con los códigos de épocas anteriores orientó prácticas donde primaba la sencillez. Pero no se trataba únicamente de acercar el arte al pueblo, sino también de que productos tradicionalmente pertenecientes al pueblo ingresaran en los cauces del tratamiento artístico. Coincide este aspecto con la valoración que hicieron las vanguardias de las artesanías y de las manifestaciones primitivas y ajenas a los circuitos del arte occidental[1]. No obstante los Novísimos no

---

[1] El uso de técnicas y estilos propios de la vanguardia en los últimos años del siglo XX lo analiza Hal Foster, 1996.

han practicado estilos característicos del arte de vanguardia al entender que sus códigos excluían a una parte importante del público en la recepción.

Como señala Antón Castro, la transgresión se sirve de todos los géneros de la tradición,

> ... desde el dibujo a la pintura –abstracta, realista o figurativa–, desde la escultura y el objeto a la instalación, desde la fotografía al grabado [...] que operan en un "espacio de comportamiento" que, al final, resulta renovador, adecuado a las circunstancias particulares de su incidencia. (1998: 42)

Durante las décadas de los años sesenta y setenta, algunos pintores cubanos habían acudido a tendencias neofigurativas por considerar que éstas eran los vehículos expresivos que se ajustaban a los parámetros revolucionarios. Uno de los críticos de arte que pertenece a esa misma promoción apunta a este respecto:

> La reivindicación de la figura a más de oxigenar el reino prolongado de la abstracción, obedecía a una voluntad de registro que halla en el abordaje de las masas y el retrato colectivo la justa concreción de su ideal, del mismo modo que se apela al virtual rescate del entorno urbano por el *pop*, si bien su dudosa ambivalencia es sustituida por una frontal delimitación del sentido político. (Caballero, 1994:11)

Los ochenta recurren al fotorrealismo, variante del hiperrealismo, pero centrándose en la representación del hombre, en lugar de en los ambientes sociales y los paisajes urbanos que habían dominado en el pasado. Flavio Garciandía y Rogelio López Marín (integrantes ambos de "Volumen I") trabajaron con esta técnica en una fase inicial de su labor creativa. Precisamente uno de los cuadros de Garciandía, "Todo lo que usted necesita es amor" (1975), se convirtió en símbolo para la generación emergente, en tanto que hacía protagonista total del lienzo a una joven que en plenitud desafiaba a la presunta cámara con su pose divertida e ingenua. El título transgredía la norma que, en el I Congreso de Educación y Cultura, había vetado toda la influencia cultural extranjera, a excepción de la soviética, pues interpretaba que su uso constituía un hecho apologético de lo burgués.

Relacionado con lo anterior, el dibujo mantiene la posición privilegiada que había adquirido en las décadas anteriores dentro de la representación artística, precisamente en virtud de la definición que proporciona. Roberto Fabelo, considerado uno de los artistas fundamentales de la promoción de los sesenta y el más cotizado dentro de la Isla, centra su producción en este género. José Bedia, Rodríguez Brey, Rodríguez Olazabal, Antonio Eligio Fernández ("Tonel") y Saavedra también construyen su poética a través del dibujo.

El grabado se recupera en esta década y en 1996, tuvo lugar una exposición dedicada exclusivamente a esta técnica. Celebrada en el Centro de las artes Visuales, llevaba el sugerente nombre de "La huella múltiple". En ella destacaban las obras de Ibrahim Miranda, Agustín Bejarano, Belkis Ayón (colografía), Sandra Ramos (calcografía) y Abel Barroso (xilografía)[2].

Característica del gusto postmoderno sería la técnica, ya antes mencionada, de la "apropiación", que viene a ser una aplicación pictórica de la intertextualidad literaria, si seguimos la terminología de Julia Kristeva o, con mayor precisión, la hipertextualidad, en términos de Gerard Genette. En agosto de 1996, tuvo lugar en La Habana una exposición titulada "Palimpsestos" que se presentaba como una reflexión de este uso en la última pintura cubana. Se mostraron como "hipertextos" (Gennette, 1989) obras fechadas en los diez años inmediatamente anteriores y pertenecientes a Novísimos artistas, tales como Pedro Álvarez, Sandra Ceballos, René Francisco, Eduardo Ponjuán, Reinerio Tamayo y José Ángel Toirac. Los "hipotextos" sobre los que se articulaban las obras iban desde clásicos universales (Botero, Frida Khalo, Malevich, Van Gogh, Velázquez, Watteau) hasta obras representativas del realismo socialista. Así, Toirac, siguiendo la línea que trabajó como miembro de ABTV, manipuló con una finalidad claramente deconstructiva y crítica fotografías cubanas de los años sesenta. No menos irónica fue la obra de Sandra Ceballos que fusionó y se apropió de los productos del abstraccionismo de Malevich y Jawlenski. Por citar un último ejemplo, Pedro Álvarez, en su línea de resemantización de los estereotipos y símbolos patrios, construyó un divertido entramado sobre la obra del costumbrista decimonónico Víctor Patricio Landaluze que llevaba por título "After Landaluze".

Como artistas procedentes de los estratos populares de la pobla-

---

[2] *Vid.* Antonio Eligio Fernández ("Tonel"), 1997.

ción, su tratamiento y apropiación de lo "popular" se producía de un modo natural y espontáneo. La formulación artística sincrética surgida al incorporar elementos populares a un espacio tradicionalmente culto, no resultaba ajena si consideramos la realidad híbrida que presenta Cuba. Precisamente esta naturaleza, junto a la condición periférica de su cultura, ha proporcionado un lugar de honor al arte latinoamericano en la postmodernidad. Con respecto a esto señala Osvaldo Sánchez,

> La cultura cubana, nacida como cultura sincrética, no es expresable, tal y como se simplifica, como una síntesis racial entre negros y blancos, entre civilización europea y civilización africana. La cultura cubana se estructura a partir de una dinámica de doble resistencia: por un lado, entre el colonizador y el colonizado; y por otro, entre la colonia y la metrópoli. De ahí que sincretismo y resistencia elaboren sus instrumentales ideológicos, por un mismo imperativo de identidad. (1990b:20)

De la voluntad iconoclasta, que decide manipular lo culto y lo popular, nace la tendencia *kitsch*, que se hará dominante en las representaciones pictóricas, y plásticas en general, de los años noventa. Umberto Eco definía el concepto como

> aquello que aparece ya consumido, que llega a las masas o al público medio precisamente porque es(tá) consumido; y se consume (y se empobrece) porque el uso al que lo somete un gran número de consumidores acelera y acrecienta su desgaste. (1977: 100)

Y, precisamente, es en este aspecto de lo "deteriorado" y lo "empobrecido" el que atrae a los artistas que nos ocupan. El *kitsch* se convierte en una vía idónea para reflejar la situación de Cuba y del cubano, la convivencia de elementos diversos y descontextualizados en un escenario de por sí proclive a ser representado bajo los cánones del mal gusto: coches americanos de los cincuenta junto a modelos rusos, ambos a la sombra del atardecer en una playa de palmeras; los iconos patrios de la revolución, la hoz y el martillo junto a exvotos de las deidades afrocubanas, solapadas a las del catolicismo. Estamos ante una práctica de un *kitsch* no unidireccional, como lo exponía Eco al considerarlo una técnica dirigida a un público adocenado, en este caso nos encontramos ante un *kitsch* de ida y vuelta, como el de la vanguardia o el del pop art. La obra proyecta sobre su propia factura un alto grado de autoparodia y, al mismo tiempo, de autorredención o catarsis. No se pretende satisfacer un gusto mediocre, el artista no adopta una postura arrogante con respecto a su público, sino cómplice, y por ello la obra se presenta como una ironía, una parodia o, por qué no, un homenaje a ese arte que se fabricó para las masas. Es una asunción consciente del proceso lo que invierte su signo, al legitimar el "cattivo gusto" si éste tiene en su origen al pueblo. Por ello, su presencia se relaciona con la voluntad de mostrar los signos de la cultura popular cubana, en oposición a la identidad política que se había impuesto a través de la retórica del discurso ideológico revolucionario. La aparición en la pintura de objetos pertenecientes al acervo cultural del pueblo, de diverso origen y habituales en la vida diaria de los cubanos pretende mostrar y propagar una imagen de Cuba y de su realidad que había querido erradicarse desde la ortodoxia comunista. Los elementos de la presencia norteamericana, a veces residuales y en otros casos esenciales, las aportaciones no siempre dotadas de *glamour* de la presencia soviética y del resto de países comunistas, incluidos los asiáticos, arman un escenario que se acompaña de la cultura colonial heredada, del canon occidental y de las tendencias del *mainstream*. A este respecto, García Canclini (1982) ha señalado la condición *kitsch* del arte latinoamericano en la medida que la hibridación se produce, en un buen número de casos, con productos antinómicos.

La presencia de lo carnavalesco, tan asociada al fenómeno *kitsch*, se da en el tratamiento de muy diversos temas y no sólo sirve para resucitar el "choteo" intrínseco a la idiosincrasia cubana, sino que se instaura como elemento tropológico de la nueva doctrina que enfrenta el dogma del comunismo oficial. En su amplio estudio sobre el tema, Mijail Bajtín apuntaba que en la Edad Media "el mundo infinito de las formas y manifestaciones de la risa se oponía a la cultura oficial, al tono serio, religioso y feudal de la época" (1987:10). Recordemos que el film *P.M.*, detonante del primer enfrentamiento entre el dogma oficial y los intelectuales en 1961, no fue censurado por contener ideas contrarias al recién instituido proceso revolucionario, sino por reflejar la diversión propia de la noche habanera. Para el crítico ruso el valor principal de la cultura carnavalesca del medievo era el de ofrecer una visión del mundo, del hombre y de las relaciones humanas ajena a lo oficial y fuera de los dogmas estatales y religiosos. Precisamente la analogía

entre el espacio cronológico que Bajtín analiza y el cubano de los últimos cuarenta años radica en el rigor de un dogmático discurso oficial
que no deja resquicios cotidianos a otras alternativas. En palabras de
Mosquera (1991) la carnavalización del arte se produce como "una
reacción de bandazo frente a la imagen retórica de un país impoluto
que ofrecen los medios de difusión, chocante con las demandas de la
realidad y la idiosincrasia caribeña" (62).

De ahí nacen los diversos cruces que se dan entre lo sagrado y lo
sacrílego, entre lo político y lo escatológico. La nómina de pintores que
lo cultivan pasa por los más reconocidos: Pedro Álvarez, Tomás Esson,
Arturo Cuenca, Antonio Eligio Fernández ("Tonel"), Flavio Garciandía,
Glexis Novoa, Segundo Planes, Ciro Quintana, Rodríguez Cárdenas,
Lázaro Saavedra, Rubén Torres Llorca, los integrantes de ABTV y un
largo etcétera.

La deconstrucción subyace en los diferentes *modus operandi* de los
artistas que van del *kitsch* a la "apropiación", pasando por la evidencia de
las *performances* e instalaciones. Llama la atención que, en un principio,
las técnicas derridianas tuvieron como objetivo el discurso oficial, pero
acabaron siendo aplicadas a cualquier tipo de retórica, incluso a la propuesta por los nuevos artistas. Eugenio Valdés considera excesivo el uso
que se ha hecho de la precariedad y provisionalidad, tanto en las manifestaciones de arte efímero como en los materiales utilizados (objetos
de deshecho, material reciclado y reciclable) en obras con soporte. A mi
juicio, ese uso responde a la voluntad de presentar en la doble dimensión que abarca el hecho artístico, forma y contenido, la situación socio-
histórica que preside las obras de los Novísimos. Obra efímera en tanto
que alude a una situación, histórica y personal, transitoria y, por otro
lado, "arte pobre" que surge de la precaria y crítica situación económica
de Cuba desde finales de los años ochenta.

TÉCNICAS Y FORMAS EN LA NARRATIVA BREVE

De la ficción al testimonio

La narrativa producida por los Novísimos se perfila en torno a dos
focos distintos, por un lado, la ficción de corte ensayístico, cercana a la
reflexión filosófica, y, por otro, una narrativa realista, que en Cuba se ha

dado en llamar "testimonial", y que es consecuencia y desarrollo de la escuela cubana realista, en la que se educaron los escritores de esta promoción a través de los talleres literarios. La primera tiene sus mejores artífices en los integrantes del proyecto "Diáspora(s)", fervientes militantes, a su vez, del antirrealismo, y en otros autores, como Waldo Pérez Cino, más cercanos a un post-barroco. Ciertamente el ejercicio testimonial y realista ha ido moderándose a medida avanzaba la década, pero ha sido la zona más cultivada en el momento climático de la formación de la promoción. Por otra parte, es evidente la coherencia existente entre ciertos modos textuales y los grupos en los que se gestan y desarrollan los escritores. Así, por ejemplo, en los autores que se agruparon en torno a "Nos-y-otros" se observa con frecuencia el uso de la técnica fabulística y de recreación pseudohistórica, junto con elementos propios del absurdo, siempre con el objetivo de producir un efecto humorístico. En "Diáspora(s)", amén de la introspección metafísica, se presenta una ficción habitualmente relacionada con el ejercicio literario, es decir, una meta-ficción literaria, así como una marcada voluntad antirrealista. Estos últimos comparten con otros autores modos de composición propios del discurso hipertextual, en los que los parámetros de orden y desorden se subvierten con el objetivo principal de propiciar reflexiones de diversa índole, siempre bajo el signo de la revisión crítica. Es frecuente encontrar figuras propias de este discurso en numerosos textos novísimos que dan un nuevo carácter al espacio de la escritura, desviando significativamente los conceptos de autor, lector y del propio texto. La enunciación de estos textos hace patentes los dispositivos de los que emerge, ya sea a través de la cita, del uso de un hipertexto explícito o de otros recursos que modifiquen la linealidad del discurso. Por poner uno de los ejemplos más claros, Jorge Ángel Pérez en su primer libro de cuentos, *Lapsus calami*, premiado en 1995 con el David, incluía el relato de Virgilio Piñera "En el insomnio", al tiempo que en otros cuentos del volumen se hacía referencia a él. En estrecha sintonía con los procesos plásticos de la "apropiación", practicados en Cuba fundamentalmente por los artistas del grupo "ABTV" y los diversos artífices que integraron la muestra "Palimpsestos", este texto incide de manera abrupta sobre la noción de autoría y abre el debate de uno de los temas más conflictivos dentro del campo literario cubano, el de los derechos de autor, debido a la precariedad y ausencia de normas legales al respecto.

No obstante las posibilidades que presenta el análisis de la ficción, nos interesa aquí centrarnos en el fenómeno testimonial por ser éste, de alguna manera, un uso narrativo novedoso y que conviene poner en contexto. La primera mención crítica que clasificaba los cuentos escritos por los autores del grupo "El Establo", habitualmente denominados "cuentos *freakis*", bajo la etiqueta de "literatura testimonial" vino de la mano de Jorge Brioso, en 1994. El crítico cubano ligaba esta realización textual a la necesidad de hacer emerger un nuevo sujeto, una voz subalterna, en la literatura cubana. También Ronaldo Menéndez (2000), miembro de "El Establo", ha prestado especial atención a este subgénero en la cuentística de los Novísimos. Ambos estudiosos se remiten a dos fuentes principales para la acotación y definición del término "testimonio" y del de "sujeto subalterno", su supuesta instancia narrativa, John Beverly (1992, 1999) y Gayatri Chakravorty Spivak (1988, 1999), respectivamente. En su complejo y hoy ya clásico artículo "Can the subaltern speak?", la pensadora india niega que el sujeto subalterno tenga la posibilidad real de detentar la voz en ningún relato o discurso de resistencia. Las ideas de Spivak en el marco de la crítica literaria han sido aplicadas al género del "testimonio", tal cual surgió hace aproximadamente tres décadas, a través de obras que se constituyeron como paradigma, como por ejemplo *Me llamo Rigoberta Menchú y así me nació la conciencia* de Elisabeth Burgos. En esta línea, Jean Franco define el género como

[...] una historia de vida relatada por un miembro de las clases subalternas a un transcriptor que, a su vez, es miembro de la intelectualidad. Pertenece a un género que emplea "lo referencial" para legitimar la memoria colectiva de los desarraigados, de los sin techo, de los torturados. Este es, también, el género que registra con mayor claridad el surgimiento de una nueva clase de participantes en la esfera pública. (1996: 99)

Matizando las apreciaciones de Spivak y Franco, John Beverley (1992) aclara que se ha de tener en cuenta la noción de "representatividad" a la hora de definir qué es o no es el testimonio ya que hay casos en que

el narrador del testimonio no es el subalterno como tal, sino más bien algo como un "intelectual orgánico" del grupo o la clase subalterna, que habla a (y en contra de) la hegemonía a través de esta metonimia en su nombre y en su lugar. (9)

Así pues, el testimonio se referiría tanto al relato transmitido de un interlocutor subalterno a un transmisor, como al relato elaborado sin interlocutor en el que el escritor toma la palabra por él, en su nombre y el de todos los integrantes del mismo colectivo. George Yúdice (1992) constata la variedad discursiva que se engloba bajo el término "testimonio" y entiende que la importancia del género radica en "el cambio de sujeto de enunciación" (209) con respecto a la literatura tradicional. La representación queda entonces en un segundo plano y con ello el texto deja "de plantearse en términos de reflejo o reproducción de la formación social" para convertirse en un foro activo de discusión. En cualquiera de los casos existe un contrato mimético con el receptor, que afecta tanto a la verosimilitud de lo narrado como a la metonimia que se lleva a cabo a través del narrador protagonista del relato. Con relación a esta idea, existe en los cuentos de los Novísimos una marcada intención de abrir los estrechos muros de la ciudad letrada al "otro", siendo éste un perfil de múltiples identidades, que podemos calificar como subalterno en cuanto que su posición social o ideológica se sitúa en los márgenes y en territorios ajenos a los de la norma dominante.

Para José Miguel Oviedo (1992), la literatura latinoamericana del siglo XX está marcada por el compromiso que la elite con acceso a la cultura ha adoptado con respecto a la mayoría social, marginada y carente de privilegios. No obstante, podríamos entender, siguiendo a Spivak, que se ha tratado de una estrategia a través de la cual el poder ha implantado un saber dominante sobre el que se ha erguido. El relato testimonial, en su acepción más amplia, se enmarca en los críticos años sesenta y setenta, dominados en Latinoamérica por regímenes militares dictatoriales. El testimonio fue la vía contestataria productora de un discurso de resistencia que creó, con la voz de los silenciados (presos, madres de desaparecidos, torturados, etcétera), un espacio de lucha marcadamente distanciado de la producción literaria canónica a la que parece referirse Oviedo. Paradójicamente, en Cuba, Casa de las Américas institucionalizó el género en 1970, al crear un premio específico, con el objetivo de dar cabida a los documentales y diarios que surgieron en el proceso revolucionario. En diversos aspectos, el testimonio se avenía con los patrones de realismo socialista que se proponían desde las altas instancias del gobierno nacional. Con la práctica testimonial el poder fomentaba un saber que alimentaba los preceptos que lo sostenían. Acertadamente, Yúdice ha señalado la diferencia entre los testimonios surgidos de comunidades en lucha por la supervivencia y el que aparece en Cuba y Nicaragua bajo el amparo institucional y político.

Por todo lo anterior, resulta especialmente significativa la toma de posición que los Novísimos llevan a cabo mediante el ejercicio de un relato de marcado corte testimonial. Tal y como sostiene Bajtín, un determinado género del discurso se construye como un espacio dialógico en el que se insertan numerosas voces que son capaces de dar un nuevo signo y rearticular el género en cuestión. Los escritores cubanos de los noventa se instalan en una zona del discurso literario cubano previamente articulada y codificada con la cual establecen un diálogo encontrado, ya que ésta servía hasta ese momento, en palabras de Yúdice, para "reproducir los valores sancionados por instituciones estatales" (1992: 211). Así pues, la toma de posición de los Novísimos a través del testimonio se presenta como "una reformulación de paradigmas y una reescritura del género que opera como diálogo contestatario ante el estremecimiento hegemónico del testimonio institucionalizado". (Menéndez, 2000: 217-218)

El carácter testimonial de una zona importante de los cuentos de los Novísimos reside en el uso de referentes históricos, en los términos de verosimilitud aplicados y en la representatividad que se desprende del discurso emitido por un autor/narrador/personaje, inscrito en un grupo en nombre del que habla. Los Novísimos recuperan el sentido primigenio del testimonio para proponer vías de pensamiento alternativas y dialógicas. El mismo fenómeno tuvo lugar en las artes plásticas donde el fotorrealismo, tendencia que se había impuesto en el marco histórico revolucionario, protagonizó una parte de las obras de "Volumen I". Emparentado con el cartel del realismo socialista y la estética del sistema propagandístico visual del socialismo, el fotorrealismo practicado por los plásticos de los ochenta subvirtió los cánones establecidos, utilizando el mismo formato estético, aunque con un diferente contenido ético. De la misma manera los cuentos testimoniales de los Novísimos proponen su diferencial ético con respecto al discurso hegemónico y oficial a través de un género legitimado en el campo cultural y en la sociedad cubana. Dice Yúdice al hablar de la situación política latinoamericana y de su relación con el género testimonial:

> Es precisamente en este contexto, en el que la sociedad civil, base de la producción y reproducción de subjetividades modernas, casi ha dejado de existir, que el testimonio se practica como medio para hacer demandas y así abrir un espacio público que sería, de otro modo, inaccesible. [...] El testimonio proporciona un escenario privilegiado para desempeñar prácticas democráticas porque la acción política viable –la transformación de las circunstancias– se ha hecho imposible dentro del sistema clientelista de los partidos tradicionales. (1992: 222-223)

Por otra parte, resulta pertinente la consideración bajtiniana, también enunciada por Raymond William, sobre el vínculo que existe entre ciertos géneros literarios y las clases sociales en las que se producen. Siguiendo la idea de estos teóricos, Beverley (1993) vincula el testimonio a la clase subalterna, obrera o campesina, familiarizados con una narración de corte oral centrada en la experiencia propia y estructurada en torno al referente en primera persona. Así mismo, en su opinión, este género, en su más amplia acepción, resulta especialmente idóneo para la reivindicación de cualquier minoría o estrato silenciado, como el de las mujeres, los homosexuales o las minorías étnicas, subrayando también la dimensión catártica y liberadora que contiene. Así, el testimonio resulta

> una forma narrativa fundamentalmente democrática e igualitaria en el sentido de que implica que cualquier vida así contada puede tener un tipo de representatividad. Cada testimonio individual evoca una polifonía ausente de otras voces, de otras vidas y experiencias posibles. (75)

Ya se habló del origen popular de la mayoría de los Novísimos que accedieron a una educación superior gracias al sistema educativo implantado por la revolución. Asimismo desde 1959 se estigmatizó cualquier conducta que pudiera relacionarse con el mundo de la burguesía. El espectro temático abarcado por el testimonio pasa por la representación de discursos tradicionalmente silenciados, como el de las mujeres, el de la santería o el catolicismo, el de los enfermos psíquicos o físicos, el de la raza negra o el de otros activismos de índole ideológica y política. Una parte importante del testimonio acoge la temática de la guerra internacionalista o las experiencias de sujetos tradicionalmente evitados y silenciados en la narrativa breve cubana, como son los jóvenes "marginales" o ajenos a la norma de conducta impuesta por la sociedad y la

Unión de Jóvenes Comunistas. En este sentido, Ángel Santiesteban, autor que ha consagrado su narrativa breve al tema de la guerra, considera que el escritor es un observador que registra su tiempo a través de la escritura y se proyecta con respecto a su obra en la perspectiva de un autor/narrador testigo de acciones y hechos históricamente relevantes o significativos para la sociedad a la que pertenece. Con esta concepción Santiesteban se sitúa muy cerca de la obra de Eduardo Heras León y Norberto Fuentes, aunque difiere del tono épico que caracterizó los cuentos de éstos y presenta narraciones donde la voz narrativa procede de un sujeto anónimo, obligado a participar en un conflicto al que no pertenece.

No obstante, el autor que más importancia ha prestado al testimonio ha sido Ronaldo Menéndez. Su doble actividad de escritor y crítico lo convierten en una referencia constante en el presente trabajo, ya que es una de las voces que con mayor lucidez ha combatido el estado del campo artístico literario de la Cuba de los ochenta y el sometimiento que la crítica legitimada ha tratado de hacer al proceso creativo de los Novísimos. Graduado en Historia del Arte, su tesis de licenciatura fue dirigida por el profesor Salvador Redonet. Ese trabajo fue la primera aproximación a las conexiones entre los artistas plásticos y los Novísimos, pese a que únicamente consideraba una parcela de ambas órbitas, la de los escritores agrupados en torno a "El Establo" y sus cuentos testimoniales sobre los procesos de arte efímero. Reside fuera de Cuba desde el año 1999. Como se ha visto anteriormente, su primer libro de cuento, *Alguien se va lamiendo todo*, es un necesario referente sobre las vinculaciones entre el arte pictórico y el cuento, así como sobre las actividades de cambio en el campo literario de finales de los ochenta.

En 1997, gana el premio de cuento "Casa de las Américas" con *El derecho al pataleo de los ahorcados*[3], donde recoge cuentos escritos a lo largo de la década, publicados con anterioridad en revistas literarias y antologías de cuento, lo que no le resta al volumen unidad compositiva y coherencia tonal. Dividido en tres partes, cada una de ellas muestra

---

[3] La Habana, Casa de las *Américas*, 1997 y Madrid, Lengua de Trapo, 1998. Se cita por la primera edición. En el mismo año del premio había sido publicado en una editora provincial el volumen *Hipocampos*, que contiene cinco de los relatos de *El derecho al pataleo de los ahorcados* y un cuento que no aparece en éste último.

una diferente ejecución formal y temática. La primera está compuesta por dos relatos caracterizados por el tono reflexivo, casi filosófico, y la compleja elaboración del lenguaje y de las imágenes. El primero de ellos data de 1993 y lleva por título "El carcelero". No sólo en el título sino en el tema abordado entra en relación directa con "Prisionero en el círculo del horizonte", del también Novísimo Jorge Luis Arzola, mencionado dentro del propio texto. En él se realiza una reflexión sobre el sentido último del término "libertad" y sobre la dificultad que presenta deslindar al preso del carcelero. La narración del carcelero, en primera persona, se caracteriza por su articulación filosófica y la presencia de ciertos dejes arcaizantes. Ubicado en un pasado impreciso y teñido de una frialdad que evita cualquier concesión al sentimentalismo, el relato tiene como objetivo "hacer extensiva la condición carcelaria al resto de la humanidad" (19).

La frialdad y la distancia en la perspectiva caracterizan igualmente el cuento "Perro", en el que observamos, a través de un narrador impasible, la coexistencia del amor y del odio, del afecto y de la crueldad, en un niño. El cuento es, a su vez, una meditación sobre los poderes de la narración a la hora de registrar el suceder en el orden de lo real. Con mayor madurez, Ronaldo Menéndez actualiza muchas de las técnicas pictóricas y cinematográficas que utilizara ya en sus primeros textos. En "Perro" son particularmente notables las huellas del fotorrealismo, ensayado en la descripción, y de técnicas cinematográficas como la cámara lenta, ejecutada a través de la minuciosa descripción de movimientos.

Ronaldo Menéndez fue uno de los principales artífices del relato testimonial de los primeros noventa, ejemplificado en su primer volumen de cuento publicado. De ahí que no sea extraño encontrar en *El derecho al pataleo de los ahorcados* una parte, la segunda, compuesta por tres relatos que mantienen las características realistas del testimonio, aunque ahora ya coexistan con otros aspectos de mayor elaboración formal. En este sentido, "Una ciudad, un pájaro, una guagua..." es un cuento paradigmático, pues recoge muchos de los elementos que son tema principal en otros cuentos de Novísimos y aspectos fundamentales de la reciente historia cubana. A través del personaje del cuento, un cubano exiliado en 1980, se dibuja la complejidad del exilio. En el texto presenciamos las difíciles relaciones que establece este hombre, que se cree despojado de lo que le pertenecía en el pasado, con aquéllos que lo poseen, quienes, paradójicamente, le envidian por vivir fuera de Cuba. La suerte de quienes se fueron y la suerte de quienes se quedaron está irreversiblemente ligada a una visión trágica del destino de la Isla, heredado de Piñera y presente en muchos otros Novísimos. El exiliado visita Cuba por última vez, pues está enfermo de SIDA, dato que conocemos al final del cuento, y su reencuentro con la ciudad se producirá a través del arte. El narrador del relato, *alter ego* del propio autor, es un joven entendido en la moderna plástica cubana que actúa como intermediario habitual entre extranjeros y artistas para conseguir ingresos. No es casual que Menéndez aborde este tema, pues así inserta como tema del relato la falta de autonomía del campo artístico en Cuba,

> La paranoia inducida, en este país, para un intelectual, consiste en estar siempre en guardia ante lo otro; pues lo otro puede resultar ser gato por liebre, o lo otro puede corresponder a alguna oscura máquina hecha por alguien con algún fin sórdido. (45)

En el cuento aparece como telón de fondo la revuelta de agosto de 1994 y, al hilo de ella, la ciudad de La Habana es escenario y tema, pues en su descomposición se encarna la de la propia sociedad que la habita. Las referencias a pintores, obras y proyectos son históricas, así como las correspondientes a sucesos puntuales y a la geografía de la ciudad, lo que imprime el tono realista necesario en el testimonio.

El segundo cuento de esta segunda parte lleva el significativo título de "Money" y, alejado del marco testimonial gracias a un narrador en tercera persona, aunque con punto de vista limitado, aborda la imprecisión de los valores de integridad y moralidad en una sociedad asediada por la urgencia. El texto muestra con elocuencia la patológica obsesión que se sufre en Cuba con respecto a la huida o el exilio. Coherente con el tono del autor, el posible dramatismo es sustituido por el patetismo que desemboca en un cierre nihilista.

El último relato de este apartado elige como anécdota temática un tema recurrente y frecuentado por los Novísimos plásticos y escritores, el del éxodo. El relato carece de la composición tradicional, pues se abre con la lista de útiles necesarios para afrontar una travesía en balsa y sigue con fragmentos que dan cuenta de la historia a través del punto de vista de los tres personajes que en ella participan. Estos tres balseros representan tipos sociales diferentes, Yoni, negro y practicante de Santería, caracterizado, al igual que el Indio, por una visión del mundo pragmática y limitada, frente a Juan, intelectual, retratado psicológicamente con mayor hondura. El dramatismo que marca la aventura en balsa de estos hombres se diluye en el cierre del relato, cargado de surrealismo, a través del misticismo religioso.

En el último bloque de cuentos encontramos cuatro relatos que cierran en círculo la estructura del libro ya que enlazan con el primer apartado. La reflexión ontológica y metafísica, centrada en las limitaciones espaciales y temporales del ser, y la culpa como tema literario son las claves que dan sentido a estos últimos cuentos. Uno de ellos, "La piel de Inesa", gira en torno a una relación amorosa y será el germen de la novela del mismo título publicada en 1999.

Como características generales de los cuentos publicados en *Alguien se va lamiendo todo* y en *El derecho al pataleo de los ahorcados* podemos señalar las siguientes:

–el ejercicio literario como parte del pensamiento filosófico de una época y de su construcción social.
–la práctica del cuento testimonio como estrategia subversiva que se opone al discurso y a la visión del mundo que emiten las instancias del poder.
–el metarrelato literario y la observación del proceso creativo desde sí mismo.
–el cuestionamiento de órdenes y presupuestos tradicionales, especialmente los establecidos en torno a dicotomías exclusivas y excluyentes.
–la continuidad de seres y objetos como un intento por deshacer las profundas escisiones que marcan el pensamiento y la reciente historia de Cuba.
–la aplicación de técnicas propias de las artes figurativas y visuales.
–la búsqueda de un *pathos* que se aleje del sentimentalismo, aspecto que vincula a este autor con Sánchez Mejías.

Ronaldo Menéndez se ha consagrado hoy ya como uno de los autores más sólidos de esta promoción. En España ha publicado las novelas *La piel de Inesa* (1999) y *Las Bestias* (2006), y un segundo volumen de relatos, *De modo que esto era la muerte*, donde el autor cultiva un cuento más tradicional, tras la sombra de Borges y Rulfo, donde el testimonio da paso a la reflexión personal. Su relevancia en el campo cultural cubano de los noventa es innegable, como se ha tenido ya ocasión de comprobar al hablar de la crítica o de las formaciones, y como se verá también en el análisis tipológico y temático de los cuentos.

Formato: fragmentación y ruptura

Para evitar, de nuevo, la imposible definición del cuento, es útil remitirse a la idea "viva", en expresión de Cortázar, que de él tenemos, alimentada por la copiosa y excelente producción de las letras latinoamericanas durante el siglo XX. Esta idea reside básicamente en las nociones de brevedad, narratividad, ficcionalidad y unidad de concepción y recepción. De ellas emergen a su vez aspectos repetidamente señalados por la crítica, como son la concentración, la intensidad de la resolución o la ambigüedad. De todo ello participan los cuentos novísimos y en buena parte responden a la estructura y a las técnicas que caracterizan los cuentos magistrales de la literatura previa escrita en castellano. No obstante, en un número considerable de textos se observa una marcada tendencia a la "ruptura" con respecto a lo anterior. Es necesario señalar el término "ruptura", ya que no se trata de que estos relatos no registren las mencionadas características, sino de que las fragmentan, las deconstruyen para darles una nueva o diversa fuerza. Es decir, las utilizan con un signo diferente, pero siguen presentes en los textos.

Dolores Koch (1986) distingue entre minicuento y micro-relato en función de la mayor brevedad de éste último, en el que la acción, los personajes y la tensión tienden a difuminarse. El minicuento seguiría entonces el formato clásico del cuento, acentuando su brevedad, mientras que el micro-relato sería una creación de índole más innovadora y rupturista. Para Koch existen constantes en los micro-relatos; a saber, la ambigüedad genérica (ficción narrativa, ensayo, poema), el desenlace cifrado en una frase ambigua o paradójica, la elipsis narrativa, el uso de personajes o acciones procedentes de textos y contextos conocidos, la actualización de fórmulas clásicas (fábula, bestiario, proverbio, aforismo, adivinanza) y la incorporación de formatos extraliterarios (anuncios periodísticos, recetas, avisos)[4]. No obstante, una de las características más relevantes es el especial uso que del lenguaje se hace en este subgénero, caracterizado por la agudeza y la selección de los términos, ya que es en el propio lenguaje en el que suele residir la resolución del texto. Con respecto a la diferencia entre minicuento y micro-relato aclara Dolores Koch (2000a) que

> En el minicuento los hechos narrados, más o menos realistas, llegan a una situación que se resuelve por medio de un acontecimiento o acción concreta. Por el contrario, el verdadero desenlace del micro-relato no se basa en una acción sino en una idea, un pensamiento. Esto es, el desenlace de un minicuento depende de algo que ocurre en el mundo narrativo, mientras que en el micro-relato el desenlace depende de algo que se le ocurre al autor. (1)

Violeta Rojo (1996), que opera en su estudio del género únicamente con la categoría de minicuento, coincide en el "carácter proteico o de ambigüedad genérica" que caracteriza a la minificción y que dificulta la clasificación de los textos que

> [...] pueden tener características del cuento propiamente dicho, del ensayo, de la poesía en prosa, de géneros literarios arcaicos como la fábula o la parábola, además de otras formas narrativas no consideradas como literarias. (15)

Un número importante de los cuentos de los Novísimos entrarían en este género de la minificción, bien como mini-cuentos, con cierta anécdota narrativa, bien como micro-relatos. En ellos encontramos esta "estética transgenérica"[5] que los inclina hacia la poesía, el aforismo filosófico, la fábula, el apólogo, la anécdota, la noticia, el juego o la adivinanza y que nace de una expresa e intensa voluntad de libertad creativa como intento de desarticular las convenciones literarias e ideológicas. Rolando Sánchez Mejías (1996) considera que el hecho de que la ficción breve cubana actual tienda a la extrema brevedad tiene su origen

---

[4] Especialmente sintético es uno de los últimos trabajos de la autora, "Retorno al micro-relato: algunas consideraciones" en *El cuento en red*, nº 1, primavera 2000, http://cuentoenred.org

[5] Así la denomina David Lagmanovich (1997) quien distingue dos posiciones frente al análisis de los relatos breves, una, la de Koch, de la que él participa y a la que denomina "estética narrativista", y esta otra, la "transgenérica", que funciona sobre las categorías genéricas y el concepto de "hibridación".

en los talleres de formación creados por la Revolución. En ellos se sugería que el "texto ideal" debía prescindir de todo lo superfluo, siendo la brevedad una de sus características necesarias.

Ernesto Santana es uno de los escritores Novísimos que con mayor frecuencia utiliza el micro-relato, recurriendo a la narración en primera persona o a personajes conocidos por la tradición, arquetípicos o universales en su anonimato, para elaborar un relato que tiende al aforismo de carácter filosófico u ontológico o a la anécdota onírica, siempre con una marcada textura poética. En 1993, publicó una pequeña plaquette que llevaba el significativo título de *Nudos en el pañuelo* y contenía cinco piezas narrativas, dos de ellas de carácter muy breve con las características antes detalladas del micro-relato. En 1996, publicó una colección de cuentos de factura más convencional, *Bestiario Pánico*, que sin embargo presenta características temáticas y estilísticas habituales en los micro-relatos del autor, tales como la concentración expresiva y la influencia de la literatura bíblica. Ocasionalmente siguió publicando minificción en revistas literarias de Cuba. Ese es el caso del siguiente texto que ha sido recogido de manera repetida en antologías y publicaciones periódicas.

> EL ÁNFORA DEL DIABLO.
> Quiero que me reveles el futuro –le dijo Blas al diablo.
> –Podrías asustarte.
> –No…Quiero conocer a dónde me llevan mis días.
> –Bien, escucha…Te regalaré el ánfora que aquí ves. Ha sido magistralmente modelada, ¿verdad? Pero es tan bella como tan frágil. Y debes conservarla así, pues sólo vivirás mientras el ánfora se conserve intacta.
> –Yo solamente te he pedido que me reveles el futuro –replicó Blas, perplejo.
> El diablo sonreía cuando dijo: –Está dentro del ánfora[6].

El escueto diálogo entre dos personajes de antemano conocidos, el diablo y el hombre sencillo, a quien la tradición le ha dado habitualmente el nombre de Blas, encierra una adivinanza que viene a ser un pensamiento alegórico. En la línea de lo formulado por Koch, el relato

---

[6] Recogido en *Revolución y cultura*, La Habana, 1993, nº 3, pág. 27 y también en la antología *El ánfora del diablo. Novísimos cuentistas cubanos*, Salvador Redonet ed., Veracruz, Instituto Veracruzano de Cultura, 1996, pág. 7.

se cierra con una sentencia ingeniosa y paradójica, que en esta ocasión viene de boca del Diablo, de quien es conocida su inteligencia, y que supone el momento de inversión del texto.

En 1999, Santana publica una plaquette en La Habana, *Mariposas nocturnas*, esta vez íntegramente dedicada a la minificción y compuesta por varias decenas de textos. Sus constantes más sobresalientes son la narración en presente o pasado indefinido, con un léxico escueto y esmeradamente seleccionado que abunda en recreaciones de carácter parabólico o alegórico. La reflexión filosófica sobre el sentido del universo y de los seres se realiza desde el cuestionamiento de las percepciones tradicionales y a través de la inversión de algunos paradigmas generalmente asumidos. En este sentido, la influencia de *La Biblia* es evidente en el lenguaje, los personajes y la temática, aunque se juegue con el sentido primigenio de los referentes clásicos, subvirtiéndolos o recreándolos. En el siguiente micro-relato se plantea el peligro de las prenociones y juicios nacidos de considerar exclusivamente el mundo desde nuestra propia experiencia.

"Abeja y escorpión".

Desde su helado submundo de piedra, el escorpión trata de imaginar el fantástico veneno que la abeja elabora. Y, mientras tanto, ella, desde su cálido bosque en el viento, intenta adivinar la extraña miel que, lentamente, en lo oscuro, obra el escorpión. (4)

En otros textos no mucho más extensos se plantean cuestiones de índole ontológica como las difusas fronteras entre el bien y el mal, la invalidez de las interpretaciones unilaterales sobre los fenómenos cruciales de la naturaleza humana, la fragilidad del ser y la inconsistencia del poder que pretende detentar o la irremediable soledad del hombre y su imposible unión con sus semejantes.

Otro nombre importante en este apartado es el de Radamés Molina, autor fundamental en las primeras movilizaciones en el campo literario de finales de los ochenta, pero que, debido a su temprano exilio en España, únicamente cuenta con textos en publicaciones periódicas y antologías. Cercano a las posiciones de "Diáspora(s)", sus micro-relatos plantean un doble debate interno, el metaliterario y el metafísico. La influencia del pensamiento filosófico occidental es incuestionable, fundamentalmente de Kant y Wittgenstein. Cuestiones éticas afectan tanto al desarrollo de lo narrado como al de la propia narración. Una constante de su breve obra es el cuestionamiento de los límites establecidos, mediante polos antinómicos y dicotómicos, en los planteamientos morales y éticos de la cultura judeo-cristiana. El uso de la paradoja, del oxímoron ideológico, del juego de palabras e ideas lo relaciona con algunos textos de Santana, mientras que simultáneamente se aprecia un tono próximo a lo fragmentario en la línea de Sánchez Mejías. Un texto ilustrativo del ideario de Radamés Molina es "El autor"[7], compuesto por siete párrafos que se corresponden, a excepción del último, con unidades oracionales y se configuran como fragmentos escénicos que involucran tanto al autor y al lector como al personaje anónimo de la historia, envuelto en un dilema existencial. La paradoja surge en el inicio del relato, ya que las dos primeras frases presentan actitudes irreconciliables, la del autor frente a la del lector.

> El autor niega los detalles y circunstancias de su historia.
> El lector no debe olvidar que son ineludibles.

Queda así invalidada la comunicación entre ambas instancias, ya que voluntariamente el autor se niega a establecer sus bases, anuladas desde el momento en que el lector se enfrenta al texto. El resultado parece ser la negación final de la historia que, sin embargo, ha sido presentada en su trama básica. El micro-relato es entonces un pequeño ejercicio de nihilismo, como lo son los *koan* budistas y otros aforismos y máximas filosóficos. Un planteamiento similar es el de "El espía", texto inicial del autor, que se reproduce a continuación de manera íntegra.

> Infiltran un espía entre el enemigo y en poco tiempo es nombrado jefe supremo. Con sus informes salva a los suyos de las ofensivas que él mismo dirige y nadie sospecha que un jefe que lucha con tanto arrojo sea a su vez un espía. Cumple con tal habilidad su misión que los hombres bajo su mando casi aniquilan a sus compañeros.
> El enemigo ataca, no hay sobrevivientes, y festeja el rescate del jefe supremo.
> Los informes llegan con puntualidad hasta que le piden que regrese.

---

[7] Incluido en *El ánfora del diablo. Novísimos cuentistas* cubanos, Salvador Redonet ed., Veracruz, Instituto Veracruzano de Cultura, 1996, p. 37.

De vuelta le preguntan cómo llevó las cosas a ese extremo y responde que le era imposible delimitar en qué medida era un espía y en qué medida un jefe supremo[8].

Próximo a Molina en cuanto a su concepción del micro-relato como género idóneo para la creación de textos híbridos, a caballo entre la reflexión filosófica y la literatura, está Rolando Sánchez Mejías. Sus micro-relatos presentan una doble vertiente, aunque es posible apreciar de manera uniforme en todos ellos las características propias del estilo del autor. En primer lugar, abunda en la obra designada por el propio autor como poética, publicada bajo el título de *Derivas I,* un tipo de composición que podría ser considerada como micro-relato de índole lírica. En este grupo estaría "La guillotina", dilucidación filosófica que asocia las características y efectos de este instrumento con la retórica y el discurso narrativo de la sociedad que lo produjo. Aborda uno de los temas recurrentes del autor, la problemática del lenguaje (y de las lenguas), resultado de un complejo entramado mental que abarca tanto una lógica de pensamiento como una lógica de acción y es, por lo tanto, la expresión moral e intelectual de la sociedad en que se manifiesta. Dice así el texto antes citado, "la decapitación de un chino, por ejemplo, no podría ser contada con la simplicidad narrativa de un acta judicial, ni siquiera con la silogística de un aforismo kafkiano" (48). Para Sánchez Mejías la fragmentación del relato está relacionada con la lucha que la narrativa sostiene con el poder, pues "escribir un cuento corto en tales condiciones implica un goce económico: nada mejor que *fragmentos* que se arquean como erizos en una mismidad del tamaño del absoluto" (1996:101). Su obra *Historias de Olmo* (2001) está formada por un centenar de micro-relatos protagonizados por el particular personaje que le da título a la obra y que tiene algunas similitudes con personajes literarios previos, como el Bustrófedon de *Tres tristes tigres* y los Cronopios de Cortázar, junto con ciertos aspectos del propio escritor. Gabriela Mora ha denominado a este tipo de cuentos "cíclicos o integrados". En el caso de Sánchez Mejías esta realización contribuye esencialmente a la consecución de una literatura del fragmento que le da el tono a toda su obra. Ésta se percibe como un caleidoscopio de elementos que se alinean

---

[8] En Salvador Redonet ed.. *Los últimos serán los primeros.* La Habana, Letras Cubanas. 1993, pág. 213.

para formar una figura que presenta aristas propias del ensayo filosófico y de la reflexión sobre el lenguaje y la propia creación literaria. Quizá uno de los textos de la obra que más fielmente representa el problema de lengua y pensamiento sea "Decepción".

> Olmo llega muy abatido, se sienta en el sofá y explica su decepción con el lenguaje. Explica que las palabras ya no sirven para nada:
> –¿Qué es la palabra *calabaza* sino una calabaza vacía?
> Dice también acerca del lenguaje:
> –De acuerdo. Es una escalera para subir a las cosas. Pero una escalera con defectos. Subes y te caes.
> Se ve muy abatido. Entonces a la abuela de Olmo se le ocurre la idea de cantarle una nana y Olmo se va quedando dormido y tiene un sueño muy bonito en un mundo sin palabras. (72)

La figura literaria de Sánchez Mejías, discreta y sólida, fuera de las estanterías de los más vendidos, es fundamental a la hora de escribir la historia de la literatura cubana más reciente. A mediados de los ochenta participó en tareas de formación literaria mediante los talleres de creación y fue miembro activo de la Unión de Escritores y Artistas. A principios de los noventa, cuando ocupa un espacio favorable en el campo cultural cubano, se ve forzado moralmente a rearticular sus tomas de posición, alejándose de los medios ortodoxos y coincidiendo ya con las posiciones de la mayor parte de la promoción. Desarrolla su labor literaria de manera individual y, hasta cierto punto, aislada, rodeado únicamente de los miembros del grupo "Diáspora(s)" y del círculo creado en torno a la poeta Reina María Rodríguez y las periódicas sesiones literarias que tenían lugar en la azotea de su casa habanera. En febrero de 1996 fue invitado junto a otros críticos y escritores cubanos, entre los que se encontraba el profesor Redonet, al encuentro "La Isla Entera: la narrativa"[9], celebrado en la Casa de América de Madrid en colaboración con la Universidad Complutense. Al evento estaban invitados también un número de escritores exilidados, entre otros Jesús Díaz, Eliseo Alberto y Mayra Montero. Las autoridades cubanas denegaron el permiso de salida a los invitados residentes en la Isla, con la excusa de que la invitación española, cursada de manera oficial, no había seguido los trámites necesarios. La toma de posición de Rolando Sánchez Mejías no tardó en

---

[9] Un año y medio antes se había celebrado el encuentro dedicado a la poesía.

llegar en una carta que fue publicada por la prensa internacional (1996a). En ella se denunciaba la ausencia de libertades personales en la Cuba castrista. Su ya entonces limitada vida pública se convirtió en ostracismo interno, que tuvo su fin un año después cuando se exilió en 1997. Actualmente vive y trabaja en Barcelona.

La narración de este significativo punto de inflexión de la vida de Sánchez Mejías tiene sentido si lo relacionamos con la concepción que tiene del hecho literario y que, como ya se señaló al hablar de "Diáspora(s)", está basada en una ética consustancial a todo arte y, específicamente, a la literatura. Ésta toca la más íntima esencia del ser humano e imprime en la obra del autor una permanente reflexión metafísica y ontológica, que afecta a la política tanto como a otras áreas de lo público y de lo privado. Precisamente en uno de los relatos de *Escrituras* se puede leer la siguiente pregunta retórica, "¿Acaso toda ontología no es definitivamente política?" (61). La palabra es para Sánchez Mejías la más pura forma de obrar, la fidelidad y el respeto que de ella emanan son la forma y el contenido que dan vida al discurso literario.

A propósito de la polémica levantada por la denuncia que Sánchez Mejías hizo, el filósofo cubano Emilio Ichikawa hizo una defensa, a través del proyecto "Cuba Prensa Libre", de la competencia de cualquiera para poseer opiniones políticas.

Aunque varios de sus cuentos y poemas habían aparecido en plaquettes desde finales de los ochenta, no es hasta 1994 en que aparecen ordenados en dos volúmenes, uno de poesía, *Derivas I*, y otro de cuento. El volumen de cuentos aparecía bajo el significativo título de *Escrituras* y lo abría un pequeño prólogo dirigido "al lector" en el que, a la manera de la "Explicación falsa de mis cuentos" de Felisberto Hernández, se esbozaba una interpretación del género. El autor utiliza el término "piezas", en lugar de "cuentos", con diferentes propósitos. En primer lugar para desligarse de la precisión que, a pesar de las disquisiciones críticas, afecta al cuento como género y, por otra parte, para señalar la fragmentación que presentan, basada en la necesidad de romper la composición regular de la literatura de corte realista, contra la que Mejías arremete constantemente. Su escritura no reniega de la tradición cubana, pero renuncia y rechaza las líneas mayoritariamente transitadas, la del realismo y la adscrita a usos y temas específicamente cubanos. Con respecto a esto el autor declaraba en *Escrituras* que "todas las piezas parten del deseo, casi enfermizo, de no militar en el gremio épico-sentimental de la Isla" (6); de ahí que la influencia de Macedonio Fernández, Thomas Bernhard, Robert Musil y otros autores cuya literatura se mueve en zonas propias de la ontología y de la filosofía sea una de las claves de su obra. A ésta última se añaden las siguientes:

–La fragmentación composicional, ejercitada, entre otras cosas, como vía para romper la lógica narrativa utilizada por la tradición realista y mostrar la multiplicidad de posibilidades comunicativas y de pensamiento que exceden lo real. En el cuento "Diez mil años", incluido en *Escrituras*, podemos leer una acotación que se presenta ajena a la instancia narrativa y que apunta con respecto a la lógica tradicional del relato que

> El problema sería obviar esta lógica de las acciones y conseguir un cuento informe, que lo resista todo. Algo así como un cuento-plasma que vaya tomando fuerzas de sí mismo en una aventura causal. (21)

En ese cuento se persigue, en la línea de Borges y Cortázar, anular la secuencialidad y las contingencias impuestas por la lógica temporal, cruzando los deseos de dos historias que en el relato corren paralelas, la de Kafka y Dora Dymant, por un lado, y la del narrador protagonista y su amante, por otro.

–Tal y como se señaló al hablar de "Diáspora(s)", pero con especial énfasis en este autor, la concepción de la literatura como "agonística", en términos de Lyotard; el uso del lenguaje como un arma de combate contra las imposiciones de los saberes legitimados por el poder. A propósito de esto dice el autor "El poder ciega, la escritura ciega. Ambos se abrazan y se abrasan. Y la mente sobrevuela, incierta, sobre el panorama que el poder deja intacto en su labor de destrucción". (1996b: 101)

–El texto como proceso, como entidad que cambia y toma forma en sus diversas realizaciones. De hecho, los cuentos y poemas publicados en 1994 habían aparecido ya desde mediados de los ochenta en diferentes estadios de realización.

–La literatura como tema, tal y como sucede en "La cortina de agua", que recrea una tertulia literaria en la que se pueden encontrar numerosas analogías con los miembros y los postulados de "Diáspora(s)".

–Elementos propios de la intertextualidad que afectan también a la obra del autor.

–La ironía, el sarcasmo e, incluso, el patetismo como elementos para exorcizar el lirismo y cualquier connotación sentimental o épica.

–El frecuente uso del formato minimalista, especialmente del micro-relato, característica esencial de *Historias de Olmo*, su última obra publicada.

"Relato", cuento incluido en *Escrituras*, resulta muy ilustrativo como ejemplo de la concepción literaria del autor. Podría leerse como uno de los cuentos dedicados al tema de la violencia con la anécdota de la intervención bélica internacionalista, pero el autor utiliza ese aspecto como recurso literario y no como tema. El tema es la reflexión sobre el sentido último de la creación literaria y el personaje central es el escritor que ensaya la creación de un cuento con el tema de la muerte violenta de un soldado cubano. El escritor del "intra-cuento" se proyecta como un *alter ego* del autor y lleva a cabo varias de sus prácticas, como es la composición fragmentaria. Por otra parte, y conforme a la aversión al realismo de Sánchez Mejías, se suceden algunas críticas cargadas de ironía con respecto a ese tipo de realización literaria.

> –En efecto: allí latía la muerte, allí se transmitía el secreto, como si una afluencia cósmica –¿ve?–, no queda más remedio que emplear las coartadas del *como*– ayudada por la carne sin tiempo, murmurara el por qué de la vida y de la muerte... (28)

El uso del micro-relato se extiende en esta promoción de escritores de manera general por los motivos arriba señalados, y así sucede en la obra de dos autores fundamentales como son Jorge Luis Arzola o Enrique del Risco. Por otra parte conviene subrayar la evidente conexión entre este tipo de escritura y la obra plástica, basada, entre otros aspectos, en que el tiempo de su lectura no excede al que habitualmente se utiliza en la visualización de un cuadro o una fotografía. En ambos géneros se alude al conocimiento del lector-espectador para sugerir y evocar aspectos que no tienen cabida narrativa por su particular configuración genérica. En virtud de la coincidencia temática, son múltiples las relaciones que se pueden señalar entre los micro-relatos y ciertas obras plásticas del momento, fundamentalmente con las de Sandra

Ramos, José Ángel Toirac, Marta María Pérez Bravo, "Los carpinteros" y las acciones de "Arte Calle". Por poner algunos ejemplos, el propio Sánchez Mejías escribió fragmentos que acompañaban a una serie de fotografías del artista Pablo Cabado relativas a la realidad social cubana y Marta María Pérez se sirvió de frases extraídas de la obra de Lydia Cabrera para dar mayor fuerza a una serie de imágenes relativas a la santería.

Por otra parte, es frecuente apreciar en los relatos de los Novísimos cierta fragmentación del discurso literario que parece obedecer al intento de encontrar el cauce expresivo idóneo para la realidad descompuesta y exhausta que caracteriza a la sociedad occidental de finales del siglo XX. Por un lado, próximo al concepto de "literatura transversal" de Argullol (1995), el relato fragmentario se presenta envuelto en cierta indefinición genérica que bordea la poesía, el ensayo y, como marco último, la narrativa breve. También Juan Armando Epple (2001) vincula la fragmentación con el micro-relato y señala al *Museo de la novela de la eterna* como "novela fragmetada" inaugural en la literatura latinoamericana, entendiendo que obras como *Rayuela, De donde son los cantantes, Tres tristes tigres, La feria* o *Farabeuf* siguen la estela de la obra de Macedonio Fernández para "reconfigurar simbólicamente los dilemas gnoseológicos y éticos de un sistema nacional, social y culturalmente segmentado". En opinión de Epple, la novela fragmentada ha sido la antesala del micro-relato y tanto en estos como en la poesía fragmentaria domina una lógica de la discontinuidad que arranca del pensamiento científico finisecular. Me interesa señalar en este punto que el presente estudio entiende al micro-relato como una posibilidad de la fragmentación del relato breve, pero no la única. Dentro de los textos novísimos aparecen con relativa frecuencia otros tipos de realizaciones marcadas por la ruptura de la coherencia textual que no responden al formato de la minificción. En primer lugar, podríamos hablar de cuentos *ad usum* donde la fragmentación se presenta en la disposición sintáctica y discursiva. Estaríamos por tanto ante una descomposición de las nociones compositivas tradicionales, pero ejecutada sobre un texto con el formato y las dimensiones tradicionales del género. Esta desestructuración se presenta generalmente a través de la ruptura de los párrafos, de las secuencias e, incluso, de las oraciones, que quedan aisladas, pero insertas en una unidad que no opera con los paradigmas habituales de totalidad. En el cuento de Ricardo Arrieta "Recuerdos obligatorios del olvido", el personaje dice practicar la escritura fragmentada y a través de él el autor nos ofrece la explicación de la poética de sus cuentos.

> le ofrecía la posibilidad de, al releer alguna que otra cuartilla tomada al azar, descubrirse a sí mismo en un pasado cualquiera y saberse viviendo una continuidad a saltos a pesar de ser tan ajeno a sí mismo todo el tiempo. Se dejaba abordar por el otro Javier que en la próxima hoja ya era otro y a la vez era el mismo, o se convertían en él a fuerza de asumirse como uno. Su unidad dislocada en polivalencias que no significaban nada, a lo sumo recuerdos obligados del olvido, salpicaduras de memoria señalizadas con tinta criminológica para ser observadas desde la total pasividad[10].

El cuento de Pedro de Jesús López "Imágenes interrogatorio sobre muerte mujer bella"[11] hace alusión a su composición fragmentaria desde el propio título y el narrador lo llega a denominar "espantoso crucigrama". En él se construyen seis series de fragmentos, cada una con un destinatario específico, quienes son, junto con el narrador, parte de la propia narración. Sólo con la lectura del último fragmento el lector puede construir la historia cabalmente y recibe el "golpe de gracia" con la inversión de las expectativas.

Destaca en los cuentos que componen *La demora* de Waldo Pérez Cino la división de sus relatos en fragmentos numerados con un sentido rítmico y composicional complejo. Algo parecido sucede en "Nunca antes habías visto el rojo"[12] de José Manuel Prieto, en el que los fragmentos dan la múltiple visión del mundo del narrador. La fragmentación, en su noción más amplia, sugiere la propuesta de una realidad múltiple, alejada de las unidades y totalizaciones de cualquier signo, ya sean políticas, ideológicas o económicas. En el contexto cubano se adivina una construcción fragmentaria del discurso literario como puesta en práctica de una sociedad múltiple y discontinua que, no obstante, puede funcionar unitariamente, siempre y cuando se valore la individualidad y la diferencia.

---

[10] Incluido en la antología *Toda esa gente solitaria*. Madrid. La Palma. 1997, pág. 163.

[11] En *Cuentos frígidos*. Madrid. Olalla. 1998.

[12] Incluido en el volumen homónimo, publicado en La Habana. Letras Cubanas. 1986.

Se puede hablar también de una realización textual novedosa, la "cuentinovela", que resultaría un híbrido de la "novela fragmentada" y del micro-relato "cíclico". Al igual que este último, la cuentinovela resulta de la conjunción de múltiples textos que comparten personaje, atmósfera o tema y que, de manera global, forman un mosaico textual que podría acercarse a una novela de ambiente, sin una trama precisa y sin un desarrollo cronológico identificable. La diferencia radica en que el formato de las unidades de la cuentinovela responde al que entendemos como "cuento". El compendio textual que resulta no sólo posee las analogías de los micro-relatos cíclicos, sino que además contiene coherencia secuencial, tanto en el desarrollo de las acciones como en la evolución de los personajes. En ese caso estaría la obra de Daniel Díaz Mantilla *Las palmeras domésticas*. Fragmentada en cinco piezas, que pueden funcionar con autonomía, perfila un dibujo final próximo a una figura geométrica en la que los personajes parecen atrapados. Para este autor la fragmentación narrativa y textual es la única manera de entender y analizar una realidad compleja distante de las manifestaciones usuales del realismo, así como la multiplicidad y desestructuración del yo. Influido por la teoría matemática de Mandelbrot con respecto a la condición y composición multiforme y geométrica de la naturaleza, en forma de "fractales", y otras manifestaciones de la hiperrealidad, como la obra de Aldous Huxley, su obra se ocupa de dar cauce expresivo a la totalidad y, ante la imposibilidad de aprehenderla con la lógica espacio-temporal, la representa a través de su diversidad fragmentada. Un caso similar sería *La hora fantasma de cada cual* de Raúl Aguiar, obra emblemática de la temática juvenil y *freaki*. Ésta se presenta como una colección de cuentos o relatos autónomos que forman a su vez parte de una superestructura de la que, sin embargo, podrían extraerse sin perder su fuerza y sentido total.

También se entiende por "cuentinovela" el relato que quiebra los límites "aceptados" y se extiende de una manera ambigua, ya que no llega a desplegarse como una novela *ad usum*. El crítico y escritor cubano Reinaldo Montero la ha definido así,

> Allí donde se quiebra el límite de las colecciones de cuentos porque no soportan ni una pulgada más de expansión, es donde aparece la nueva criatura genérica, la cuentinovela [...] parece como una marca entre dos reinos que exige sagacidad política para comprender, casi intuir ese punto de equilibrio y ruptura entre dos vastos señoríos. (1995: 56)

Tras el rastro de "El perseguidor" de Julio Cortázar, estos cuentos largos o novelas breves (*nouvelle*) muestran una anfibología genérica que permite insertarlos en el estudio de uno u otro género. La última obra de Sánchez Mejías, *Cuaderno de Feldafing*, es un relato largo que se presenta como un crisol de narradores y diferentes formatos: diario, libro de viajes o carta. El contenido se mueve entre los límites de la ficción y el testimonio. Otras obras que merecen mención en este apartado son *Mata* de Raúl Aguiar, *Los doce apóstatas* de Eduardo del Llano, *La milla* de Alejandro Hernández y *Cañón de retrocarga* de Alejandro Álvarez Bernal, centradas estas últimas en el tema del éxodo ilegal marítimo y de la guerra internacional, respectivamente.

7 ¿De qué hablan los Novísimos?
Aproximación a un análisis de los temas

POLÍTICA, HISTORIA E IDENTIDAD

Si existe una *intentio operis* común en la obra artística y literaria de los Novísimos es, sin ninguna duda, el carácter político que la domina. Los Novísimos se definen como una minoría en el sentido de que son portadores de un nuevo *habitus*, o lo que es lo mismo, de un nuevo horizonte de perspectivas y de una diferente concepción del mundo. Esto los enfrenta al discurso hegemónico revolucionario amparado por lo que podríamos llamar la "mayoría", en virtud de variantes y condiciones diversas basadas en el proyecto generacional de los años cincuenta, en el sometimiento impuesto por el régimen y en otros factores. Gilles Deleuze (1978) entendía que la literatura que surge de cualquier minoría como portadora de un contradiscurso está bañada necesariamente de un contenido político.

> En una literatura menor todo es político, su espacio reducido hace que cada problema individual se vuelva entonces tanto más necesario [...] lo que el escritor dice es necesariamente político [...] si el escritor está al margen o separado de su frágil comunidad, esta misma situación lo coloca más aún en la posibilidad de expresar otra comunidad potencial, de forjar medios de otra conciencia y de otra sensibilidad. (29-30)

Una vez derrocada la dictadura en 1959, el movimiento revolucionario se consolidó sobre el principio de soberanía nacional y la reafirmación de la cultura e identidad cubanas frente a lo ajeno, es decir, lo americano. El discurso ideológico inició el uso del término "identidad cubana" para referirse al conjunto de características que el sujeto afín al régimen debía o podía mostrar. Aquellas características que no estaban incluidas en ese canon implicaban tanto disidencia con respecto al sistema (se tildaban de burguesas o capitalistas), como alienación de lo cubano. La política de la identidad se hizo sobre la base ideológica del movimiento revolucionario y sobre los cambios que su proyecto conllevaba. En ese movimiento que rearticula la identidad, la variable política supone el eje central, sobre el que gravitan otros aspectos del individuo. Toda opción individual o privada se convirtió entonces en una opción política. Por otra parte, existe un deseo evidente en el discurso político de la Revolución de establecer una continuidad con el pensamiento de finales del siglo diecinueve y principios del veinte, surgido al calor de la lucha y la consecución de la independencia, para reforzar su carácter nacionalista. Curiosamente, en la reforma constitucional de 1992, cuando los cambios del postcomunismo hacían ya mella, se puede leer el añadido "el Estado defiende la identidad de la cultura cubana", aspecto que contrasta con las corrientes del pensamiento occidental que ya habían desechado concepciones esencialistas y culturales de la identidad (Rojas, 2003). Así, historia, nación, cultura y política quedan íntimamente ligadas en el discurso construido por la Revolución y, por ello, el tratamiento que los Novísimos le dan a estos aspectos abunda en un constante replanteamiento de las verdades históricas establecidas por el saber dominante y en la búsqueda ontológica de un significado singular y preciso en lo relativo al individuo. Por un lado, se cuestionan y replantean los términos de la "verdad histórica", relacionándolos con su sentido político y abriendo las posibilidades de la acción y discurso políticos para ensanchar los límites establecidos sobre las nociones de nación y de identidad cubanas. Por otro lado, se persigue abrir un foro plural del que emerja un coro polifónico de voces silenciadas, de sujetos obligados a no hacer públicos aspectos individuales por temor a ser excluidos de la sociedad a la que pertenecen. Ian Craib (1998) señala que la construcción de la identidad se realiza a través de diferentes disciplinas y discursos, que pueden variar en intensidad e importancia. En el caso de Cuba, fue el discurso "político" el que la marcó desde 1959, de ahí que en los noventa se perciba la necesidad de potenciar otras áreas de representación que amplíen la definición ortodoxa y conviertan en políticos aspectos, opciones y actitudes personales e individuales que habían sido descartadas o prohibidas en la formulación de una identidad homogénea y exclusivamente "revolucionaria". Por lo tanto, la obra de los Novísimos intenta llevar lo privado hasta lo público, ensanchando las variables que marcan la identidad y haciendo políticos aspectos que estaban reprimidos y ocultos, confinados a la intimidad de los sujetos. La mayor parte de las estrategias textuales pasan por crear sujetos y personajes narrativos con una identidad subalterna, marginales, jóvenes inadaptados, homosexuales, prostitutas, prófugos, etcétera. A través de ésta se procura abrir el espectro social a sujetos que no estaban representados ni tenían legitimad dentro de él y crear con esta ampliación simbólica un espacio real de debate público en el que sean acogidas actitudes, visiones, ideas e ideologías ajenas a la homogénea y ortodoxa impuesta por el régimen político.

Resulta interesante traer hasta aquí la definición que Stuart Hall (1996) hace del concepto de identidad, ya que lo define como la unión, por un lado de

> discursos y prácticas que pretender atraer nuestra atención, resaltar o hablarnos de la naturaleza social de los temas de ciertos discursos, y por otro lado, de procesos que originan subjetividades, que nos construyen como sujetos que pueden ser expresados. Las identidades son temporales puntos de apego a las posiciones del sujeto que las prácticas discursivas construyen para nosotros. (5)

De ahí, entonces, que el ensanchamiento de los márgenes de la identidad, la necesidad de hacer visibles nuevas subjetividades, ausentes en el espacio social cubano, haya sido una de las batallas necesarias en el camino hacia esa construcción civil de la sociedad en Cuba, en esa lucha por la libertad de expresión y la libertad de ser.

En todo caso, las obras están marcadas por su intención política, con una proyección directa sobre el espacio simbólico de lo cubano y el cuestionamiento de su identidad. El relato "Del nuevo Laoconte y la nueva Troya" de Waldo Pérez Cino, autor exiliado en España, es un claro ejemplo de transposición y crítica de la situación política cubana a través de un enfoque histórico. El cuento resulta una alegoría construida sobre una base legendaria que remite a la historia antigua y a la mitología grecolatina, remedando el estilo de la lengua latina. La ironía del párrafo final, junto con el título, dan un golpe de efecto que proporciona un cierre intenso. Gracias a su formato minimalista lo reproduzco íntegramente a continuación.

Del nuevo Laoconte y la nueva Troya.

> Durante el acoso de Döltburg, larga en murallas, el enemigo se esparcía por el campo muchas veces, y se demoraba en los pozos; lo que hizo suponer a Otto Frigius, caudillo perspicaz, que los otros envenenaban las aguas; por eso los sitiados no consumieron el agua del estanque central, que era un hito en una

red de canales que se comunicaban entre sí, y contra el que principalmente (supusieron) atentaban los otros.

Poco resistieron, entonces, los soldados de Döltburg: primero se les fue muriendo la piel y la vista, y luego todo el cuerpo, y al fin el alma huyó, porque largo es el suplicio de la sed. Los enemigos ultimaron a unos pocos sobrevivientes, pero creyeron su victoria demasiado fácil para ser cierta; agudamente, previeron una trampa, y huyeron. Una noche sin luna se levantó el asedio, que ya duraba dos años. Por supuesto, nadie pudo saber a ciencia cierta qué pasó tras los muros, porque ninguno de adentro sobrevivió para contarlo: la derrota de ambos bandos es una fábula, pero bien pudiera ser correcta, aún no su fondo.

En el siglo XII ya los hombres conocían el silogismo y la sospecha, que confunde el ensueño, y no se hubieran atrevido a hacer un caballo de madera para tomar una plaza; preferían soñarlo o temerlo, porque ya habían echado a andar la rueda interminable de la duda, donde toda ingenuidad es intencionada o conspicua. (1995:16-17)

La ingenuidad de los troyanos y la suspicacia de los germanos medievales conducen, paradójicamente, al mismo desenlace, la derrota. De ahí que la desaparición de Troya resultara, en última instancia e incluso si Laooconte hubiera sido escuchado, irremediable. Al igual que Döltburg, Cuba se ve asediada desde dentro y desde fuera, de ahí que sus habitantes estén condenados a perecer bajo el yugo implacable de un doble cerco.

Paralelamente, la obra plástica de Carlos Estévez lleva a cabo una reflexión que cuestiona nuestra participación personal en el devenir del futuro a través del análisis del pasado. Reclama la necesidad de la acción y decisión del individuo como eje en torno al que se dibuje la historia. "La verdadera historia universal" (1995) fue el título de la obra que ganó el I Salón de Arte Contemporáneo Cubano abierto en La Habana entre el 15 de noviembre de 1995 y el 15 de enero de 1996. Consistía en una escenografía en estuco, borrado y repintado numerosas veces, sobre la que el espectador debía colocar a los actores principales; para ello contaba con un surtido de figuras talladas en cedro que representaban a Buda, Jesucristo, Lenin, Che Guevara, San Agustín, Marx, Martín, Charles Chaplin, Sor Juana, Vasco de Gama, Napoleón y un largo etcétera. La manifestación de lo colectivo a través de lo elaborado desde el propio sujeto era una de las lecturas más evidentes. Decía al respecto el autor: "pienso que quizás la historia universal es la historia de la entonación de algunas metáforas. Puede que sea a la vez que universal, personal y comience con el nacimiento de cada ser sobre la tierra"[1].

Lámina 3. Carlos Estévez, "La verdadera historia universal" (1995).

---

[1] Citado por Carina Pino-Santos, 1996.

Especial tratamiento de la historia cubana lo encontramos en los cuentos de Enrique del Risco (1967), marcada por el uso del humor y la ironía a la hora de subvertir y parodiar lugares comunes del imaginario histórico de la isla. Fue fundador del grupo "Nos y otros" y de "Aquelarre" que, como ya se especificó, asociaban las artes interpretativas con la literatura humorística. Una vez graduado en Historia por la Universidad de La Habana en 1990, recibe el puesto de historiador del cementerio Colón de la ciudad. Exiliado desde 1995, en el año 2005 recibió el grado de doctor por la Universidad de Nueva York.

Humor, política e historia trabajados con un estilo preciso y sucinto son las claves de su obra. En su cuentística del Risco demuestra dominio y técnica en el uso del lenguaje, resaltando la precisión de sus adjetivaciones y la estructuración de los relatos. Su escritura está fuertemente teñida de crítica política contra el sistema castrista, lo que no le resta fuerza ni validez universal, ya que ahonda en los conflictos humanos que se presentan ante limitaciones de libertad ejercidas por cualquier tipo de gobierno.

Las influencias más notables en sus textos provienen de las fábulas de Augusto Monterroso y de la obra de Juan José Arreola, con quien Enrisco comparte el irónico tono que borra los límites entre lo real y lo absurdo. En algunas ocasiones el tratamiento de lo cómico y de aspectos pertenecientes a la ciencia-ficción remiten a otro de los nortes literarios de este autor, el escritor norteamericano Kurt Vonnegut.

Ha publicado los volúmenes de cuentos *Obras encogidas* (1992), *Pérdida y recuperación de la inocencia* (1994), *Lágrimas de cocodrilo* (1998) y, en colaboración con Francisco García González, *Leve historia de Cuba* (2007). Esta última obra fue escrita fundamentalmente en la década de los noventa y los autores publicaron previamente algunos de sus textos de manera individual.

Lágrimas de cocodrilo (1998) recoge relatos escritos entre 1992 y 1998, tanto en La Habana como en Madrid, y muestra un estilo más elaborado que el volumen publicado cuatro años antes. De éste conserva tres relatos e incluye algunos otros procedentes de *Leve historia de Cuba*. Por todo ello, me parece el referente idóneo y de ahí que la mayor parte de los textos que aquí analizo procedan de este libro.

El cuento que abre la colección, "Letras en las paredes", es antológico y recorrió toda La Habana en el momento en que se escribió. Cargado de humor e ironía, presenta la situación política de Cuba a través de una pared en la que se inscriben pintadas en diferentes tonos. El rojo defiende al "presidente", el negro es utilizado por los contrarrevolucionarios, el lápiz por los escépticos y el verde por la "tercera opción"[2]. Finalmente todo queda diluido en el color azul, que enlaza los nombres de dos enamorados y en la posterior pintura blanca sobre la que una pintada oficial pone de manifiesto la ausencia de libertad de expresión en Cuba:

> "En lo adelante queda destinado este espacio para expresar con toda libertad su opinión sobre nuestro presidente. Marque con una cruz en caso que esté de acuerdo con Él por siempre jamás".Y hasta ahora la única replica ha sido la del lápiz que preguntó "¿cuál presidente?". (1998: 9)

Como se ha dicho, varios relatos de *Lágrimas de cocodrilo* pertenecen a *Leve historia de Cuba*, obra que elige momentos y lugares comunes de la historia de Cuba para subvertir, de alguno de los modos posibles, la visión que la historiografía clásica ha dado de ellos. En el primer cuento, "Pequeña crónica de indias (e indios)", el lenguaje utilizado remeda el castellano de las crónicas de Indias y la voz proviene de un conquistador ingenuo y libre de prejuicios que describe como un juego insólito y llamativo la orgía que tiene lugar entre los indios. El texto da a entender que el autor del libro ha corregido y actualizado el fragmento que se lee a partir de una presunta obra llamada *Verídica y muy natural historia del Nuevo Mundo y de lo que allí vide* de un tal Vasco Zumárraga de la Vega. En "Lo más sublime"[3] se da una superposición de fragmentos ficticios con otros de índole histórica. Partiendo de una entrada biográfica del *Diccionario de la música cubana*, Enrisco recrea un personaje cuya capacidad inventiva y talento musical pasaron inadvertidos en su época, a pesar de ser uno de los iniciadores de nuevos y revolucio-

---

[2] Nombre que coincide con el de una organización política alternativa que se formó en Cuba en los primeros noventa y que tuvo cierto eco social. Cabe recordar que el derecho de asociación no existe en Cuba, por lo que la organización se movía en los márgenes de la ilegalidad. El escritor manifiesta haber utilizado este nombre por lo funcional, pero sin una alusión directa al grupo en cuestión.

[3] El título nace del tema "Suavecito" del sonero cubano Ignacio Piñeiro, figura en la que se basa del Risco al escribir el cuento; dice así: El son es lo más sublime/para el alma divertir/se debiera de morir/ quien por bueno no lo estime.

narios ritmos en la música cubana. Intenta adelantar el hecho del nacimiento del son y de su llegada a La Habana desde el Oriente de la isla, quince años antes de lo que refleja la historiografía. La penosa y divertida biografía de Papo "el habanero" corre paralela, e incluso llega a cruzarse, con la guerra de independencia contra España y, en particular, con la lucha de Antonio Maceo, héroe libertador de Cuba. Las innovaciones musicales de Papo y los principios de libertad nacional de Maceo quedan disueltos en la nada tras la llegada norteamericana, ya que entonces se prohibieron los ritmos africanos y se subyugó políticamente, una vez más, a la nación caribeña. El cuento perfila ligeramente el debatido tema de la identidad cubana y de lo que es y no es ajeno a una cultura e historia producto de una constante fusión. El cierre se da con una supuesta cita del desaprovechado músico que juega y parodia la consigna de la izquierda internacional con respecto a la Cuba de finales del siglo XX.

> La vida es como un túnel y lo que uno quiere está al final. Yo llegué a pensar que el final no existía. A veces cansa más la oscuridad que el largo túnel. Si al menos nos hubiesen dicho: ¡resistan un poco más, confiamos en ustedes!, todo sería diferente. (1998:58)

Los micro-relatos de este autor remiten a las fábulas de Augusto Monterroso, con las que coinciden en tono y formato, es decir, en ironía y ultra brevedad. La ironía negativa que caracteriza buena parte de los textos del guatemalteco se ve invertida en Enrisco por un optimismo que radica en la potencia regeneradora de los seres. El primero de este tipo de texto se encuentra en *Pérdida y recuperación de la inocencia* y lleva por título "La zorra y el cuervo (remake)". La zorra de Enrisco no es glotona ni tiene interés en comer el queso del cuervo, sino que realmente disfruta de la voz del pájaro y le exhorta para que la utilice en mensajes de corte social y comprometidos con su realidad, convirtiéndole así en un crítico y funcional personaje de su medio. "El color del futuro" se dibuja como negativo de "El camaleón" de Monterroso; la confianza de Enrisco en la capacidad de cambio, creación y renovación del ser humano se proyecta sobre un camaleón que, en su calidad de poeta, abomina de cualquier camuflaje que conlleve tibieza de carácter y opinión. Como consecuencia de sus convicciones el animal renuncia a ejercitar su habilidad natural.

"Paralelas" es uno de los muchos cuentos que se escriben en este periodo sobre el conflicto generacional existente entre los Novísimos y sus padres. Amén de ser un conflicto universal, la particularidad que se aprecia en el caso cubano, radica en que la generación que hizo la revolución sacrificó un alto número de cosas en beneficio de un futuro que se prometía dichoso. El desencanto del que tanto se habla en los medios de la izquierda occidental se ha vivido dentro de Cuba como "estafa", frustración e impotencia, una vez que los hijos de los revolucionarios han elegido el exilio como opción de vida. El presente cuento es uno de los que mejor desarrolla el tema, al tiempo que consigue una alta elaboración formal. El relato corre por tres paralelas cronológicas: el periodo que el presidente lleva en el poder, la vida del protagonista y la del padre del narrador, amigo del anterior, que confluyen en un determinado momento del cuento. Un fragmento del texto evoca el estilo oratorio de Fidel Castro, al modo en que lo hiciera Ronaldo Menéndez en su relato "La bandera". En ambos, la imagen de Fidel Castro aflora entre líneas con las precisas alusiones que se hacen sobre su gestualidad y sus características muletillas lingüísticas.

"Sin inercia" es otro micro-relato que se construye sobre "El guardagujas" de Juan José Arreola, adoptando su mismo estilo conciso y descriptivo y con un objetivo irónico y altamente crítico. Como en el mexicano, la metáfora de los trenes y de un país en el que estos tienen una particular función, le sirve a Enrisco para denunciar, entre la risa y la mueca, una situación nacional crítica. En este caso asistimos a la inmovilidad que afecta a los trenes en "cierto lejano país" que tampoco se mueve, "ya ni avanza, ni retrocede", en el que los habitantes se ven obligados a "empujar", aunque "aún no está claro si será mejor empujar los trenes o el país" (1998: 38-39).

Uno de los cuentos más logrados de este volumen, aunque inicialmente perteneciente a *Leve historia de Cuba*, lleva el título de "Cantar de gesta". Elaborado a la manera de un documental cinematográfico que montando planos fijos de entrevistados va construyendo una historia, este cuento presenta una serie de intervenciones a propósito de la vida del personaje central del relato. Éste fue un hombre que en los años sesenta había sido ideólogo de la revolución y que en la zafra del 70 perdió la razón cortando caña. Adentrado y perdido en el monte durante años, se tiene noticia de él en el mismo momento que tiene lugar la narración, se le rescata, condecora y encierra para un análisis científico. Finalmente muere víctima de su inadaptación y del nuevo medio. La parodia y el humor se tejen en el relato con temas recurrentes en la obra de los Novísimos como la locura, que frecuentemente aparece asociada con dinámicas y procesos surgidos dentro la lógica revolucionaria. Otro uso habitual es la inserción de importantes acontecimientos históricos del periodo revolucionario, en este caso la zafra azucarera del año setenta. Enrisco añade a éstos la pérdida de criterio de realidad en actividades tecnificadas y dirigidas por lógicas ajenas a su proceso interno y que conducen al absurdo.

Muy cerca de los cuentos de este autor, la obra plástica de Pedro Álvarez (1967-2004) gira en torno al museo simbólico y tipológico de la cultura y tradición cubanas (especialmente la imaginería del siglo XIX), combinándolo con la iconografía de la publicidad americana de los años cuarenta y cincuenta, con referentes esenciales de la historia del arte y con el realismo socialista. Todo ello cuestiona las interpretaciones históricas hechas desde una óptica política, arrojando luz sobre el valor y la función política y social de estereotipos y símbolos patrios. Su obra se caracteriza por la representación clásica, el uso de técnicas de apropiación, la ironía y la crítica de los medios culturales. En la ya mencionada exposición colectiva "Palimpsestos", celebrada en agosto de 1996, Álvarez construyó un satírico entramado sobre la obra del costumbrista decimonónico Víctor Patricio Landaluce[4] con el título "After Landaluce". Con una técnica que evoca el estilo académico de finales del siglo XIX, el artista superponía tiempos, espacios y personajes de la historia de Cuba, lo que daba como resultado una imagen folclórica de lo imposible, donde el significado de todos los elementos queda cuestionado. Desde entonces y hasta su muerte en 2004, Pedro Álvarez se ciñó al universo cubano, revisitando y dando nuevo contenido a tipos sociales, iconos culturales, elementos religiosos o eslóganes del socialismo. La mezcla, cargada de ironía y sarcasmo, deriva en un *kitsch* punzante que cuestiona el significado de esos elementos al descontextualizarlos. La factura final de la obra le da un tono de postal y souvenir

---

[4] Bilbao 1928-Guanabacoa 1889. Llegó a Cuba en 1850 y plasmó en óleos y acuarelas de pequeño formato tipos de la vida cotidiana habanera: la mulata, el guajiro, el vendedor, el cochero, etc.

turístico que la ha convertido en una de las más difundidas a través de portadas de obras literarias, catálogos, guías y libros de comercialización internacional.

Lámina 4. Pedro Álvarez, "SITE, Homenaje a Wifredo Lam (1998).

Lámina 5. Pedro Álvarez, Sin título, de la serie "El fin de la historia" (1995).

Como cabía esperar, la figura de Fidel Castro es uno de los referentes pictóricos y literarios más habituales y en torno al que los artistas se mueven con cierta ambigüedad. En el relato "Sucedió que, como en toda ceremonia que se respeta, decidieron izar la bandera" de Ronaldo Menéndez (1997), el Jefe aparece caricaturizado con rasgos propios del "comandante en jefe" Fidel Castro. El cuento se abre con la alusión al elenco de personajes que lo integran, "Yo, los Espectadores, los Elegidos, el Jefe, el gran Jefe y la Bandera" que representan el espectro total de la sociedad cubana. La intervención del Jefe y del Gran Jefe presenta una sátira que remeda el comportamiento, el discurso y la retórica de los altos cargos oficiales en Cuba, así como los del líder máximo. El sarcasmo marca todo el cuento ya que el narrador establece el juego de la creación en virtud de las directrices que le dan el Jefe y el Gran Jefe, las cuales, sin embargo, resulta imposible cumplir debido a la rebeldía que personifica la Bandera. Ésta, dotada de voluntad propia, no accede a ser izada y se aferra al medio asta, por lo que los Espectadores y el narrador se ven obligados, con el fin de mantener la coherencia escénica, a dar muerte al Gran Jefe. En este relato, al igual que en "Paralelas" (1998) de Enrique del Risco, se parodia el estilo oratorio de Fidel Castro evocando así su imagen y situándolo a través de ella como protagonista del suceso burlesco.

Humor, ironía y parodia son clave también de numerosas obras plásticas en las que es utilizada la figura del líder máximo. Se percibe generalmente en ellas un intento de re(de)construir la imagen épica que de Fidel Castro fue erigiendo la iconografía cubana revolucionaria. Sirva mencionar aquí a José A. Toirac, artista que ha trabajado con detalle figuras emblemáticas del proceso revolucionario como Che Guevara y específicamente la figura de Fidel Castro. En muchas de sus obras el comandante sirve como modelo en carteles publicitarios que evocan o imitan los de grandes productos o firmas comerciales, tales como Canon, Habanos, Opium o Calvin Klein. La asociación entre el producto original, específicamente a través de su nombre o slogan, y la figura del líder revolucionario resulta en una paradójica crítica, pues no excluye cierta celebración e incluso glorificación del líder. Esa ambivalencia apunta a la intensa contradicción que la Revolución ha supuesto para la historia cubana en virtud de su dimensión liberadora inicial y su posterior carácter represivo. En otras obras la simbología se establece con parámetros históricos o religiosos, tal y como sucede en "La última cena", donde la analogía con la figura de Cristo apunta directamente al carácter mesiánico que el aparato cubano ha otorgado a Castro.

Lámina 6. José Ángel Toirac, "Puros Habanos" (1995).

Lámina 7. José Ángel Toirac, "La última cena", díptico. (2000-2001).

También en torno a lo político y a la identidad cubana, aunque con un enfoque más personal e intimista, se mueve la obra de Sandra Ramos, quien hace uso político de la condición femenina, creando un entorno pictórico en el que prima la fusión del cuerpo físico con el nacional. Uno de los grabados de su primera muestra personal utiliza el verso inicial de *La Isla en Peso* de Virgilio Piñera, "La maldita circunstancia del agua por todas partes" (1993) para dar sentido a la representación. Ésta presenta varias líneas de reflexión sobre la identidad cubana finisecular. Por un lado apunta a la doble insularidad que sufre la mujer cubana y, por otro, a la contradictoria condición de ser "isla", protectora y carcelera a un mismo tiempo [lámina 8]. Precisamente, Rafael Rojas (1998) señala que Piñera culmina la tesis de un discurso histórico sobre la identidad cubana en negativo, es decir, sobre la nada insular.

En "La isla que soñaba con ser continente" (1994) [lámina 9], Ramos trabaja sobre una obra paradigmática de la nueva plástica cubana, "Mundo soñado" (1995) de Antonio Eligio "Tonel", instalación que representaba un mapa-mundi configurado a la manera de un rompecabezas en el que todas las piezas tenían la forma de Cuba [lámina 10]. Se cuestionaba así la estrategia ideológica que ha exacerbado la política

Lámina 8. Sandra Ramos, "La maldita circunstancia del agua por todas partes" (1993).

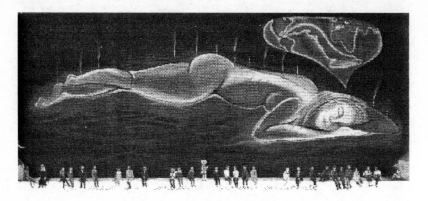

Lámina 9. Sandra Ramos, "La isla que soñaba ser continente" (1994).

Lámina 10. Antonio Eligio "Tonel", "Mundo soñado" (1995).

identificatoria y nacionalista, produciendo una "abundante discursivi-
dad sobre sí que le dificulta la experiencia del otro" (Rojas, 1995:34).
En la obra de Ramos la crítica se extiende a la condición femenina:
Cuba es una mujer que, limitada y aislada por oscuras aguas, sueña, sin
embargo, con una ambiciosa dimensión que la convierta en un sexto
continente. Tanto Tonel como Sandra Ramos reflexionan sobre la formulación de lo cubano en los términos establecidos en la Revolución,
basados en la homogeneidad, la unidad y la territorialización.

Otra obra de Ramos, "Los enigmas de la identidad" aborda directamente el tema de la identidad cubana y de la femenina presentando el
dibujo de la artista como niña ataviada con el uniforme escolar cubano.
De su espalda nace, a modo de alas, una bandera cubana elaborada con
plumas. Entre las manos sostiene la silueta de Cuba, fuera del orbe
terráqueo, y en el lugar que debiera ocupar la isla figura una interroga-
ción. Aquí, la identidad cubana es tan enigmática como frágil, elaborada sobre términos que no parecen ser esenciales en el presente, como el
territorio y la nación. El significado de Cuba y el de la propia identidad
están por definirse a la luz de las nuevas coordenadas históricas.

Con ciertas concomitancias con la obra de Sandra Ramos se presenta "Metamorfosis: Noche insular" (1998) de Ibrahim Miranda. El
autor manipula en diferentes láminas el mapa de Cuba hasta que devie-
ne, a la manera deleuziana, en una isla-ameba. Con respecto a este
juego que confunde la silueta cartográfica de Cuba con un animal pri-
mitivo el artista declaraba que su intención era "reflejar la inestabilidad
simbólica a que está sujeta nuestra isla"[5].

La crítica de los artistas a la acción política ha tenido en ocasiones
objetivos mucho más puntuales, menos abstractos o históricos, especialmente relacionados con la política económica y artística. A finales de los
ochenta, "Arte Calle", con su *performance* "Easy shopping", había puesto
sobre la mesa la delicada cuestión del expolio artístico del patrimonio
cubano, llevado a cabo con el objetivo de solventar la crisis que sobrevino a la caída del muro de Berlín. Una década después, en 1998, Lázaro
Saavedra, dentro del Festival de Performance "Ana Mendieta", llevaba a
cabo una acción hermana de la anterior, esta vez en los jardines de la
Unión de Escritores y Artistas. Los artistas, sobre zancos, repartían

---

[5] *Arte cubano, más allá del papel*, Madrid, Turner, 1999, p. 82.

reproducciones de dólares que no podían ser alcanzados por el público asistente. A pesar del carácter lúdico, la problemática que exponía Saavedra en su acción constituye una de las más agudas fisuras que presenta la sociedad cubana actual.

Debido a la dolarización de la economía cubana son muchas las obras artísticas que aluden a la moneda norteamericana o a los perversos efectos sociales que ha ocasionado la crisis económica y la fiebre del dólar. Quizá la más emblemática y conocida sea la instalación "El bloqueo" de Antonio Eligio "Tonel", con diversas realizaciones desde 1989. Nueve bloques de hormigón y cemento verticales formaban las letras que dejan leer el título de la obra mientras que en el suelo bloques rectangulares del mismo material dibujaban la forma de Cuba. Al igual que el cuento de Waldo Pérez Cino, Tonel aludía tanto al absurdo embargo económico que Estados Unidos ejerce sobre Cuba desde principios de los años sesenta, como a la negligencia y rigidez de la economía interna que "bloquean" igualmente el desarrollo económico del país.

Esta conexión que existe entre las obras de los Novísimos afecta a toda la producción artística, es decir, a la música, artes plásticas, escritura y dramaturgia y artes performativas. Sus obras y demás tomas de posición han estado siempre orientadas políticamente, invirtiendo las consignas del realismo socialista y del régimen revolucionario. A la hora de abrir foros de debate público, estos autores iniciaron un diálogo entre sí mismos y entre sus propias obras. Ese fenómeno de "interdicción" es el exponente homológico de las tomas de posición de los Novísimo en el campo artístico y cultural que hace patente la unidad de *habitus*. En esa zona dialógica podemos interpretar y conectar obras producidas a partir de 1987, aproximadamente, como las de los pintores Lázaro Saavedra, Fernando Rodríguez y Alexis Somoza, con cuentos de Enrique del Risco, Francisco García González o Jorge Luis Arzola, con temas musicales de "Habana Oculta", "Garaje H", Pedro Luis Ferrer o "Superávit"[6,] y con las obras de teatro escritas por Joel Cano o Víctor Varela.

---

[6] Las letras de las canciones de estos músicos podrían ser estudiadas comparativamente con los cuentos ya que presentan muchos puntos analógicos. El escritor Enrique del Risco ha analizado someramente algunas de estas conexiones en "El último exilio o nuevas posibilidades de lo cubano", ponencia leída en el congreso "Con Cuba en la distancia. I Encuentro de Exilio y Creación", Cádiz, noviembre de 2001.

LA RELIGIÓN Y LO VERNÁCULO

La recuperación de aspectos culturales de la tradición cubana que habían sido marginados desde los años sesenta es una de las medidas tomadas para establecer nuevas subjetividades y validar voces ajenas a los paradigmas ortodoxos. En este sentido encontramos dos importantes focos de trabajo, el que se acerca a la herencia cultural africana y el que pone en un primer plano el mundo obrero o campesino.

La presencia temática de la herencia cultural africana y, en especial, de las religiones afrocubanas es recurrente en la obra de los Novísimos debido a su múltiple valor tropológico (Mosquera, 1996). Destaca la influencia de la obra antropológica de Fernando Ortiz y Lydia Cabrera que habían estudiado cuidadosamente la herencia africana en Cuba. Por otra parte, *De donde son los cantantes* de Servero Sarduy es una de las novelas que más alcance e influencia tiene entre los escritores por ser uno de los primeros textos literarios cubanos que elabora una cosmogonía sincrética sobre las herencias china, africana y española.

Los años ochenta ven resurgir la práctica religiosa en Cuba, y en especial aquellas prácticas vernáculas tales como la regla de Ocha o Santería, el Palo Monte o la sociedad secreta Abakúa. Es por ello que ciertos artistas sintieron también la necesidad de revalidar el sentimiento religioso y su imaginería, prohibidas por la Revolución hasta este momento, situándolos en la órbita de lo vernáculo. Para ello recurrieron fundamental, pero no exclusivamente, a las religiones africanas. Por una parte, el arte ritual de estas prácticas se incorpora a la estética cubana contemporánea y, por otro, las obras artísticas se hacen eco de la trascendencia de este aspecto cultural. Las prácticas pictóricas de Belkis Ayón, José Bedia, Juan Francisco Elso, Elso Padilla, Magdalena Campos y Marta María Pérez se arman sobre complejos sistemas conceptuales pertenecientes a cultos africanos. En estos artistas la reflexión sobre su herencia ancestral y el significado de ésta escapa al folclorismo, elaborándose un lenguaje personal que no atiende a imágenes estereotípicas de mercado. Prima el afán de establecer una cosmogonía y una geneaología que vayan más allá de las establecidas por el discurso ideológico revolucionario. En opinión de Rufo Caballero:

> Sus obras rezuman la rica contradicción que brota del hecho de que los
> autores asuman un grado de involucramiento total, siendo muchos de ellos
> practicantes activos del culto, pero al mismo tiempo no puedan ni quieran
> camuflar el condicionamiento de su formación estética occidental que redunda
> en una ineluctable visión "culturizada" del mito, no por ello menos genuina.
> (1994b:61)

En este sentido, una de las obras más interesantes es la de Belkis
Ayón (1967-1999) que borra los límites establecidos entre la cultura
desde la que se concibe la obra artística y el culto religioso en el que ésta
se centra, en este caso el de la Sociedad Secreta Abakuá. Es ésta una
práctica de origen Calabar (Nigeria) vedada a las mujeres, cuyos miembros son conocidos en Cuba como "ñánigos". Una de sus creencias más
difundidas es la de que el secreto del universo reside en la voz encarna-
da en la piel del tambor sagrado Ekué. Unas declaraciones de la artista
desentrañan los contenidos de su obra:

> Pretendo ante todo dar mi visión, mis puntos de vista como observadora,
> presentando de una forma sintética el aspecto estético, plástico y poético que he
> descubierto en Abakuá; relacionándolos persistentemente con el cuestiona-
> miento de la naturaleza del hombre, con vivencias personales, con ese senti-
> miento que a veces nos atrapa y no sabemos definir, con esas emociones fuga-
> ces..., con lo espiritual. Incorporo en mis obras simbologías de otras culturas
> para expresar mis ideas con mayor riqueza y claridad[7].

Curiosamente, la obra de Ayón gira en torno a la única figura
femenina de la mitología Abakuá, Sikán, que fue sacrificada por haber
descubierto el secreto de la creación. En muchos de los grabados de la
artista, la mujer, Sikán, huye en busca de una posible salvación cuando
es perseguida por el Hombre Leopardo, que finalmente le dará alcance
y muerte. Para Lázara Castellanos, la obra de Belkis Ayón se presenta en
una doble dimensión marginal, la femenina y la relativa a sus orígenes
africanos[8]. Esta doble marginalidad se trabaja desde una óptica estética
y ética que proyecta la obra de la artista a una zona de cuestionamiento
de los paradigmas de saber y poder.

---

[7] *Arte cubano, más allá del papel*, Madrid, Turner, 1999, p. 46.
[8] *Cfr. Entre cielo y suelo*, Cuenca, Fundación Antonio Pérez, 1999.

Lámina 11. Belkis Ayón, "La cena" (1997).

Lámina 12.
Belkis Ayón, Sin título (1995).

En otro extremo creativo, con un uso frecuente entre los artistas más jóvenes, lo religioso se aborda desde actitudes deconstructivas y sacrílegas. La imaginería católica es sacudida por Esterio Segura desde la parodia y el *kitsch*. El efecto "cursi" (particular concepción de lo *kitsch*) lo consigue desde la propia técnica de muchas de sus obras: la cerámica policromada, que tanto se acerca a las populares figurillas religiosas de la tradición católica. Este artista consiguió una extraordinaria difusión de su obra al ser utilizada en la película "Fresa y chocolate", en la que se exhibía y destrozaba una figura de gran formato que representaba al Cristo en su actitud de brazos abiertos, pero sosteniendo en una mano una hoz. Precisamente uno de los aspectos temáticos que acompañaban al de la libertad de elección sexual, eje del film, fue el de la censura sobre el arte.

En el cuento de los Novísimos el tratamiento del tema se traduce en el continuo aflorar de alusiones a prácticas concretas y a elementos característicos, como son las ofrendas, los "trabajos", los collares, etcétera. Su uso literario se entiende simbólicamente como una vía de definir la identidad individual a través de la herencia cultural religiosa. Es necesario insistir en que la represión ejercida sobre las prácticas religiosas convirtió cualquier confesión o adhesión de culto en un ejercicio de resistencia. El proceso de transculturación había hecho posible ciertas equivalencias entre las creencias africanas y las católicas, de ahí que todas las deidades afrocubanas tengan su correspondencia en santos pertenecientes a la historia del cristianismo. Pese a que en la narrativa breve no encontramos un equivalente a la obra de Ayón o Segura, sí existen cuentos en los que los elementos propios de los cultos afrocubanos cobran cierta relevancia. En *Las palmeras domésticas* de Daniel Díaz Mantilla, uno de sus fragmentos compositivos gira en torno a la penitencia que un anciano cumple caminando descalzo para honrar a San Lázaro. El día de San Lázaro, sincretizado con Babalú Ayé, celebrado el 17 de diciembre, es la festividad religiosa más importante de Cuba. Cada año unas cien mil personas (Bolívar, 1998: 474) procedentes de todo el país realizan la romería, generalmente en virtud de una promesa hecha al santo y orisha, que los lleva hasta "El rincón", una pequeña localidad próxima a La Habana. Para los fieles, tanto de un lado como de otro, no existe diferencia entre la representación católica y la de la santería, San Lázaro y Babalú Ayé tienen los mismos atributos y están encargados de las enfermedades crónicas y contagiosas.

Con un tratamiento muy diferente del tema, Pedro Juan Gutiérrez (1998) nos muestra a través del yo narrador y protagonista de sus cuentos, la íntima incorporación de prácticas propias de la Santería en la vida cotidiana. En "Tipos duros", el protagonista, al verse afectado por una grave crisis económica, decide ir a consultar a su santera, recordando que ésta le había aconsejado "que debía de tener un guerrero" (26), es decir, una divinidad protectora de la Santería. En "Aplastado por la mierda" es una anciana de color la que le insta a rezar a sus orishas protectores, Ochún y Changó, sincretizados en la Virgen de la Caridad del Cobre y Santa Bárbara, representantes de la guerra y el amor respectivamente, para que le ayuden a sobrellevar la terrible crisis que afecta al país entero. La naturalidad con la que se presenta el diálogo entre los personajes y el juego surgido de los significados simbólicos de las deidades mencionadas pretende mostrar cómo la santería es parte fundamental de la visión del mundo de una parte importante de la población cubana.

> Pedí algo de comer en alguna casa, pero la hambruna era fuerte. Todo el mundo pasaba hambre en La Habana en 1994. Una negra me dio unos pedazos de yuca y cuando me miró a los ojos me dijo:
> –¿Por qué estas así? Tú eres hijo de Changó.
> –Y de Ochún también.
> –Sí, pero Changó es tu padre y Ochún es tu madre. Rézales, hijo, y pídeles. Ellos no te van a dejar abandonado. (59-60)

Por otra parte, la original obra de Jorge Luis Arzola trabaja cuidadosamente sobre elementos atávicos e idiosincrásicos que revierten en el carácter fantástico que poseen los cuentos. Sus influencias explícitas remiten a la órbita narrativa de Poe, Borges y Cortázar, aunque su obra muestra cierto paralelismo con la de Rulfo. Ajenos a lo urbano, sus personajes suelen ser campesinos, provincianos, hombres cercanos a la tierra y poseedores de un acervo cultural de consigna oral. El propio Arzola, criado en la zona rural del interior de la Isla, vivió sus años de formación en un pueblo fundado por decreto en el período de plantación masiva de caña en Cuba. Hijo de uno de los macheteros, fue el producto de la escolarización con que la Revolución proveyó a todo el país. No obstante, podemos decir que es autodidacta ya que no cursó educación superior y se desenvolvió en un medio que carecía de recursos cultura-les que no fueran básicos.

Su primera publicación en 1991 fue el cuaderno de relatos *El pája-ro sin cabeza*, que aún carecía de la uniformidad de tono que alcanza en los volúmenes de cuentos *Prisionero en el círculo del horizonte* (1994) y *La bandada infinita* (2000) que serán los que aquí analizaremos.

Su obra presenta características muy marcadas de las que destacan la filiación fantástica, en la estela de Borges, el uso del lenguaje pertene-ciente al acervo tradicional y rural y la localización de muchos de sus relatos en el ámbito campesino. Ya en su primer libro, el cuento que le da nombre, "Prisionero en el círculo del horizonte", contiene esas tres coordenadas. El personaje central es guarda de una granja de pavos de la que parece ha estado robando animales para poder sobrevivir en la carestía en que está inmerso el país. Aunque la ambigüedad envuelve toda la narración, se deduce que, agobiado por el peso de la culpa, olvi-da repentina e inexplicablemente sus acciones ilícitas y sigue una con-ducta conforme a la honestidad de la que él se sabe acreedor, pero siem-pre atenazado por la sospecha que de sí mismo tiene. La narración, en tercera persona, absolutamente descriptiva y limpia, se centra en el pro-ceso tanto mental como biológico que sufre el hombre en su intento por redimir la culpa. En su afán por borrar posibles huellas, busca deses-peradamente en un área circular un hueso de pavo que él mismo había tirado. Al cavar, son miles de esqueletos humanos los que afloran sobre su culpa.

> Entonces comprendió que no tenía salvación porque toda la tierra estaba preñada de huesos y el horizonte era una cárcel, su cárcel circular. [...] Sabía definitivamente que no podría escapar de la celda aquella y que la eternidad le sobraría. (42)

La maestría del relato se encuentra en la perfecta parábola que se traza, desde la inicial intriga policial, atravesando después los lindes del retrato psicológico para adentrarse en una problemática de orden uni-versal que conduce al protagonista a un castigo similar al de Sísifo. Del mundo inmediato y vulgar de la granja avícola el lector se desplaza sin ningún movimiento abrupto, al impreciso ámbito del inconsciente colectivo de la humanidad. Aun siendo el anterior el relato más sobresa-liente del primer libro publicado de Jorge L. Arzola, es necesario señalar cómo en el mismo volumen aparecen formas y temas que marcan tanto su trayectoria personal como la global de todos los Novísimos. Muchos de ellos presentan el formato de minicuento y giran en torno a determinados núcleos temáticos que son, generalmente, la locura, el conflicto generacional, la guerra y el poder. El primero es un tema que este escritor trabaja con frecuencia, siempre bajo el lema personal de "la locura lo cura todo". En el texto "Las ruinas", la presunta demencia de un hombre encausado judicialmente debido a su transtorno, no es sino la condición del visionario que, más allá de lo simbólico, percibe el derrumbe del país.

El conflicto generacional o de cambio de *habitus* presenta en Arzola un carácter trágico y desgarrador. Generalmente abordado desde una óptica íntima que nos ofrece el libre fluir de pensamientos de los personajes, cuestiona la ética social que ha legitimado y estipulado determinados sentimientos en la estructura familiar. Algunos de sus relatos presentan una voluntaria transgresión y agresividad detrás de las que asoma el deseo de catarsis y redención. Estarían en ese orden los cuentos "El palco del rey", "El pájaro sin cabeza" y "Father's death".

En una línea minimalista, Arzola presenta dos textos interesantes que podríamos considerar microrrelatos[9]. Ambos vienen narrados en una particular primera persona. En "Leo", signo zodiacal de Fidel Castro y del escritor, el discurso procede de un líder anónimo que, vencido y fracasado, describe su periplo político. Lo reproduzco íntegro a continuación.

> Puse mil veces la cabeza en el blanco de los enemigos de mi pueblo, esperando pacientemente que una bala viniera a salvarme. Mandé mis mejores soldados a estudiar las precisas artes de la defensa, para engrandecer la misión de los asesinos. Trabajé incansablemente, privándome de las mujeres más hermosas y de los paseos nocturnos. Mi país entrevió el futuro.
>
> Pero la guardia resultó ser demasiado eficiente. Los más capaces magnicidas del mundo perdieron el Reino a pocos pasos de mí. A veces pienso que no debí ser tan honesto.

---

[9] Sigo la terminología establecida por Dolores Koch, quien distingue entre "minicuento" y "microrrelato" en función de su brevedad y contenido. El segundo es más breve que el primero y no contiene un momento álgido ni presenta un perfil nítido de los personajes.

Ahora soy definitivamente un hombre, tal vez grande, pero un hombre.
La bala que aún puede venir no es ya mi bala añorada. Y no está lejos el día en
que la multitud me proclame traidor, y me mate con palos y piedras.
Ya no me importa nada. Tal vez sea cierto que Dios existe[10].

El cuento que sigue al anterior, "La noche en que nos mandaron a
matar", es uno más de los muchos que se escribieron sobre la pérdida de
vidas en las guerras del internacionalismo bélico y como protesta por
este sin sentido. La fuerza en este caso reside en la brevedad y concisión
de las frases que describen la última noche de un grupo de soldados
internacionalistas apresado y, finalmente, fusilado. Al ser el narrador
uno de ellos, es decir, un muerto, se nos presenta el conflicto y el sufrimiento desde el punto más cercano, no como un asunto de estado y
épico, sino como un problema personal. El personaje no recuerda "por
qué nos habíamos enemistado con ellos, ni con qué armas les hicimos la
guerra" (7) en alusión directa a lo lejano y ajeno de los destinos de los
soldados cubanos y al silencio que hubo siempre en torno a la financiación de la tropa.

El segundo y, hasta ahora, último libro de relatos de Jorge Luis
Arzola, *La bandada infinita*, obtuvo el premio "Alejo Carpentier"[11] en el
año 2000. Está compuesto por seis cuentos redactados entre los años
1994 y 1998 que en tono, estilo y contenido constituyen una progresión
con respecto al anterior volumen del año 1994. Con mayor claridad se
percibe en esta nueva entrega el universo literario del autor del que
podemos destacar las siguientes características:

–La práctica del ejercicio literario como una vía de salvación y
redención de los pecados cometidos a diario.

–El mundo como infierno, en el que el sufrimiento es tan necesario como inevitable. El referente es la realidad cubana, la crisis econó-

---

[10] Precisamente el final de los microrrelatos suele ser "una frase ambivalente o
paradójica, que produce una revelación momentánea de esencias" (Koch, 1986)

[11] Creado por el Instituto Cubano del Libro en 1999 y con su primera edición en
el año siguiente, este premio se otorga en los género de novela, cuento y ensayo. De
generosa dotación, 5000 dólares americanos en novela y 3000 en las otras disciplinas,
conlleva publicación. Al igual que el premio Casa de las Américas, es un concurso abierto para escritores latinoamericanos. Con financiación del Fondo de Desarrollo de la
Educación y la Cultura, se publica en colaboración con una editora extranjera.

mica y política, el deterioro de los seres y de sus conductas y la responsabilidad de los dirigentes.
–El suicidio como acto poético.
–La influencia de Jorge Luis Borges en aspectos como la alteridad, el tiempo circular, la simbología del tigre y el uso del bestiario.
–La alteridad y la pluralidad del ser. Esta es una constante que puede aparecer tratada de manera explícita o creando personajes binarios que actúan en un dúo irreconciliable, pero inseparable. En este último caso el registro va desde el clásico tratamiento del *dopelgänger*, al del *alter ego* y la esquizofrenia.

El primer cuento perteneciente a *La bandada infinita* lleva por título "El cuento más terrible del mundo" y, bajo una compleja estructura circular, encierra casi por completo todas las características anteriormente mencionadas. En él, dos personajes que remiten a arquetipos universales y que aparecen bajo la marca genérica del apodo, se encuentran tras años de separación y sufrimiento. Las trayectorias vitales del Gordo y el Flaco deshacen la de un único sujeto sin la necesidad de justificar las contradicciones del ser humano. Mientras el primero optó por la práctica incondicional de la literatura y el cuidado de los padres, el segundo renunció tanto al ejercicio de la literatura como al del amor filial. La estructura circular del relato se proyecta geométricamente al contener en su trama otro cuento, escrito por el Gordo y leído por el Flaco, que narra su propia historia, y que cuenta de nuevo la historia que nosotros leemos adelantando acontecimientos y llenando vacíos. El desenlace literario del relato es el suicidio que, en este caso, presenta una falsa apariencia de asesinato dirigido. La historia gira en torno a la desaparición del único tigre del zoológico local, animal venerado por los personajes y que le sirve al autor para enunciar su manifiesto poético y la influencia que sobre él han ejercido Jorge Luis Borges, Ruyard Kipling y William Blake. La reflexión literaria está presente en todo el relato y con mayor evidencia en los intertextos, pertenecientes a los escritores antes mencionados, que se insertan a lo largo del relato. Ambos textos, el que lee el lector y el que lee el Flaco, presentan una misma estructura tripartita ya que son, como los personajes, uno solo. Este cuento está, junto con otros del propio autor, en la génesis de la novela *Todos los buitres y el tigre*, publicada por Siruela en el año 2006.

"La bandada infinita" comparte el tono rural y al tiempo existencial de otros cuentos del autor, aunque formalmente presenta novedades. Esta bandada sin número está compuesta por los buitres que se ciernen sobre la última vaca de un Viejo granjero que ha visto cómo matarifes nocturnos le han ido matando, debido a la terrible crisis económica, todas las cabezas de su ganado. La dureza cotidiana que caracteriza la vida del personaje y la de su mujer, la Vieja, es afrontada con resignación y dignidad. El Viejo está atado a la tierra por un vínculo que nace de la necesidad y de la propia esencia humana. La lucha por la supervivencia a través del sacrificio y del trabajo dota al personaje de la dignidad tantas veces perdida en la sociedad del bienestar. Arzola resuelve el relato con una técnica perteneciente a lo fantástico psicológico y que, irremediablemente, nos remite a Hitchcock y a "Los pájaros". El Viejo, abrumado por lo irresoluble de la situación, mata a su última vaca y, encerrado para siempre en su casa, se dispone a comérsela junto con su compañera mientras los carroñeros intentan acceder violentamente al interior de la morada.

La crítica de Arzola va más allá de lo político y plantea una problemática trascendente a través de conflictos habituales o cotidianos. Así sucede en "Digresión sobre mecánica y otras cosas así" donde la crítica política aparece al hilo de la reflexión sobre el problema generacional que ha marcado a los Novísimos. En este relato aparece una vez más un animal, el cocodrilo en este caso, que anuncia la configuración de un bestiario personal a la manera de otros cuentistas hispanoamericanos como Juan José Arreola, Borges, Cortázar o Monterroso. Por los relatos de los dos volúmenes de cuentos publicados hasta ahora por Jorge Luis Arzola desfilan pavos, tigres, cuervos, cocodrilos y vacas. Sin dejar de ser totémicos, los animales, como el hombre, pierden sus atributos míticos y simbólicos, arrastrados por penosas situaciones de supervivencia en las que únicamente pueden actuar guiados por sus instintos. El estilo de este escritor explora la linealidad y la sencillez, hay un voluntario despojo de toda carga no comunicativa, no esencial, pero sin incurrir en pretensiones filosóficas y con ciertos toques de humor. En ocasiones inserta el registro coloquial en la narración, casi siempre con la intención de acercar al personaje y cederle la voz.

La obra de Arzola es una de las más originales dentro del nuevo panorama literario cubano debido a su instintivo acercamiento al asunto literario, cifrado en un tratamiento excepcional de lo común, dentro de un área rural que recuerda las míticas tierras rulfianas.

HOMOSEXUALIDAD

Si ha habido una subjetividad repetida y duramente amordazada por la Revolución, ésa ha sido la del homosexual. Por ello, las obras de Novísimos que se acercan a la construcción de un sujeto gay son muy abundantes, especialmente en el ámbito literario, que aquí veremos con cierto detalle.

El cuento que abrió el debate sobre la homosexualidad en el campo literario fue "¿Por qué llora Leslie Caron?" (1988) de Roberto Urías, aunque su repercusión no fue tan amplia como la de "El lobo, el bosque y el hombre nuevo" (1991) de Senel Paz, escritor perteneciente a la hornada previa a los Novísimos. En el cuento de Urías, un transexual expresa su amargura por no ser acreedor de respeto ni derechos debido a su condición. Narrado en primera persona como si se tratara de un monólogo interior, el lector recibe directamente el discurso de este sujeto marginado y se sitúa más cerca de su punto de vista. Esta afirmación pública de lo *queer* es tanto un desafío como una legitimización (Butler, 1993) y marca el carácter reivindicativo que abunda en la obra de los Novísimos. Por otra parte, el relato de Senel Paz muestra la gestación y desarrollo de una amistad entre un joven revolucionario y un artista homosexual. La voz del relato proviene de un narrador inscrito en la norma ortodoxa de la conducta social revolucionaria, heterosexualidad incluida, que defiende los dogmas y las consignas del sistema, aunque proponiendo un aperturismo de las libertades individuales, siempre desde una lógica orgánica.

Si bien el cuento de Senel Paz carece de la irreverencia del de Urías, y de otros relatos sobre el tema pertenecientes a autores Novísimos, sirvió de base para el guión de "Fresa y chocolate", la película de mayor repercusión internacional de Tomás Gutiérrez Alea. De hecho, "Fresa y chocolate" encarna la necesidad que existía en la esfera artística y cultural cubana del pronunciamiento de un discurso contrario a la tradición homofóbica revolucionaria. La película presenta un nítido crisol de las concepciones y prejuicios sobre la homosexualidad que abundan en la sociedad. Emilio Bejel (1994) la entiende como una "alegoría nacional" en la que se pueden identificar, en cada uno de los personajes, los diferentes discursos que atraviesan la Cuba de principios de los noventa, formando de esta manera un "subtexto histórico" de carácter simbólico. El sujeto homosexual tuvo cabida en la sociedad revolucionaria en la medida en que se insertara en los parámetros establecidos por el dogma ortodoxo, como fue el caso de algunos dirigentes del ámbito de la cultura. La teoría del "hombre nuevo" elaborada entre otros por Ernesto Guevara y defendida como necesaria para el mantenimiento del proceso de cambio iniciado por la Revolución, sirvió en gran medida para establecer un patrón de conducta que encerrara la ortodoxia política del comunismo. Intelectuales de la talla de Lezama Lima, Virgilio Piñera o Reinaldo Arenas fueron censurados debido a que su obra literaria y sus tomas de posición no seguían los dictados del realismo socialista, pero siempre se hizo utilizando el subterfugio de su condición homosexual.

No obstante, la representación del sujeto homosexual ha tenido en Cuba un desarrollo histórico notable que tiene su punto inicial en la novela de Alfonso Hernández Catá *El ángel de Sodoma* (1928) y que alcanza una considerable fuerza en el periodo republicano a través de José Lezama Lima y Virgilio Piñera. Particularmente éste último, en su artículo crítico sobre el poeta Emilio Ballagas, proponía la aceptación de un sujeto homosexual en el discurso literario cubano y la identificación de las marcas textuales con funcionalidad en ese aspecto. No es de extrañar que la huella de Piñera sea clave para entender la producción artística y literaria de los Novísimos, especialmente en aquéllos orientados a la obra de género como Pedro de Jesús, Jorge Ángel Pérez, Norge Espinosa o Abilio Estévez. Siguiendo la línea cronológica, la narrativa de la violencia que se desarrollara en el periodo revolucionario no sólo eludió el discurso homosexual que iniciaran los escritores inmediatamente precedentes, sino que criticó a estos sujetos que entraban en contradicción con los valores del momento, cifrados en la fuerza y las dotes militares. Recordemos que el agente "activo" de la relación sexual no es considerado "homosexual" (el término coloquial que recibe es el de "bujarrón") ya que simbólicamente es el que ejerce el poder. El homosexual es únicamente el sujeto que no hace uso de su miembro viril en la relación sexual, el "afeminado" y sometido que, como la mujer, no es representativo del discurso épico revolucionario[12]. Paralelamente a la narrativa de la violencia, se desarrolló en las afueras de lo legitimado la obra de Reinaldo Arenas y Severo Sarduy, surgidas de una poética del exceso que se cierne constantemente en torno al deseo y al homosexual.

Pese a que el cuento de Roberto Urías haya sido paradigmático en este aspecto, hasta el punto de seguir siendo reproducido en antologías actuales, este autor no llegó a publicar el volumen de cuentos *Fábulas afables* en el que se incluía. De su siguiente libro de relatos, también inédito, se extrajo repetidamente el cuento homónimo "Infórmese, por favor". Expulsado de su puesto de trabajo como editor en Casa de las Américas, el autor se exilió en Miami en 1995.

Paralelamente, Alexis Díaz Pimienta reflexiona en "Historia íntima y pública de un hombre" sobre los estrictos parámetros de la masculinidad que se impusieron en la Cuba revolucionaria y la crueldad que el sistema irradió con ellos sobre la conducta social. Con un interesante juego compositivo en el que se alternan puntos de vista y registros lingüísticos, el cuento va develando la humillación y el sufrimiento de un hombre heterosexual, pero amanerado. El cuento contiene una actitud próxima a la de "El lobo, el bosque y el hombre nuevo" de Senel Paz en el que "el homosexual, inscrito en situaciones que operan como metáforas de la macrohistoria, sirve como vehículo para discutir aspectos del proyecto revolucionario" (Víctor Fowler, 1998b: 144).

El cuento de Ena Lucía Portela "Sombrío despertar del avestruz" gira de igual modo en torno a la problemática del reconocimiento público de la identidad sexual. A pesar de ser uno de los textos iniciales de esta autora, presenta ya la exquisita factura que caracteriza sus cuentos posteriores. La instancia narrativa varía constantemente y nos ofrece un narrador, alter ego de la autora, desdoblado en una primera y una tercera persona que, ocasionalmente, activa una voz narrativa en segunda, destinada a la protagonista del relato. Con el tono sarcástico y profundamente crítico de esta autora, se nos narra el despertar y la asunción de la homosexualidad de un personaje marcado por la frivolidad y la estupidez, simbolizado en el símil del avestruz. De manera explícita,

---

[12] Aunque los trabajos elaborados sobre la genealogía de la voz homosexual en la literatura cubana son aún escasos y breves, destacan los de Emilio Bejel, Víctor Fowler y Jesús Jambrina, citados en la bibliografía.

al igual que lo hará en los cuentos de *Una extraña entre las piedra*, la autora expone su credo literario en el que no existe un linde efectivo entre lo real y lo ficticio. La crítica y la ironía se centran en el pseudoculturalismo, en la conducta heterosexual y en los valores masculinos, patrones legitimados y representativos del discurso ideológico oficial. La reivindicación de la libertad en la elección sexual resulta aquí un símbolo de la necesidad de libertad en un sentido total. Ena Lucía Portela no duda en atacar y derribar mitos e ídolos, así como en desenmascarase ella misma para romper las barreras de lo establecido como ortodoxo y moral. Llevar al espacio literario lo íntimo, en su acepción más cruda, es parte del ejercicio literario en el que el cuerpo se torna un material paralelo al lingüístico.

Con todo, podemos afirmar que es la obra de Pedro de Jesús López la que, sin duda, resulta más interesante con respecto a la construcción de un sujeto y un discurso homosexual en la narrativa breve cubana. En ella el conflicto no reside en la asunción de la identidad homosexual, como en los cuentos de otros autores, sino que se extiende desde ella a aspectos más universales. Nacido en Fomento en 1970 y licenciado en Filología, posee un amplio conocimiento de la obra de Severo Sarduy y Virgilio Piñera, dos de los autores cubanos de mayor influencia en su obra y de gran importancia en la representación literaria del sujeto homosexual en Cuba. Precisamente, sus relatos son el más sólido exponente de un credo homosexual en la escritura cubana de los noventa. La condición de la homosexualidad en el país caribeño difiere bastante de la del resto del entorno latinoamericano, ya que la represión ejercida sobre el colectivo homosexual no reside en la normativa moral del catolicismo burgués, sino en la formulación de un sujeto puro ("hombre nuevo") por parte de la ideología revolucionaria. Ya Reinaldo Arenas, un autor con el que frecuentemente se compara a Pedro de Jesús, señaló en *Antes que anochezca* la gran contradicción que originó la represión revolucionaria en un país con una desinhibición sexual histórica, fruto de haber sido una mera escala en la conquista evangelizadora de la iglesia católica en América y de su condición de gran puerto abierto entre América del Norte y del Sur. Como ya se dijo, la expulsión y fuga de numerosos homosexuales en 1980 a través del puente marítimo de El Mariel supuso el punto álgido de un estado homófobo socializado. La recuperación de figuras de intelectuales homosexuales que no se exiliaron y fueron silenciadas ha sido dificultosa y tardía; ese es el caso de Antón Arrufat, dramaturgo y ensayista, en torno a quien se han congregado escritores homosexuales.

Los seis *Cuentos frígidos (Maneras de obrar en 1830)* (2000) se escribieron a lo largo de la década de los noventa y dos de ellos fueron publicados de manera individual. En el título de la obra se revelan dos presencias que recorren los relatos, la de Virgilio Piñera, autor de *Cuentos fríos*, y la de H.B. Stendhal, pues "Maneras de obrar en 1830" es el título de un capítulo de *Rojo y negro*. Si la presencia del primero radica en la voluntad de construir un sujeto (una subjetividad) ausente en la escritura cubana, la del segundo se percibe en la compleja construcción de la instancia narrativa. Los cuentos giran en torno a un eje dominante, el deseo, que se convierte en tema y argumento de todo el volumen. A través de él se construye un sujeto homosexual dominado por la fuerza del cuerpo, del propio y del del objeto de deseo. El cuerpo es esencial en tanto es la más clara marca de identidad. En su estudio del cuento homosexual en México, Mario Muñoz cifra el imaginario gay en

> [...] el culto por el cuerpo, la idealización del efebo, la fascinación por lo sórdido, la promiscuidad sexual, las violentas relaciones de pareja, el cultivo de un estilo de vida en el que se conjugan el placer y la frivolidad con algunas veleidades hacia la cultura y el arte, la invención de vocablos y modos de habla sólo para iniciados, el cultivo fetichista por las prendas masculinas, la omisión casi total de la presencia femenina, un continuo estado de inseguridad emocional aunado a inclinaciones sadomasoquistas bajo la persistente acechanza de la muerte. (17)

En mayor o menor medida, Pedro de Jesús participa de todas estas características, especialmente de la continua interpretación simbólica de los actos corporales y de la entrega sexual. El deseo y su consecución real se conjugan siempre en la posibilidad que otorga el ejercicio de la imaginación y el de la escritura, siendo así que la única realidad posible es la textual.

El primer relato del libro, "Instrucciones para un hombre solo", proporciona al lector las claves que le introducirán en la lectura y que van a conformar el sentido de los textos: la soledad como realidad última, el deseo del cuerpo masculino y su disfrute como burla a la anterior y la insatisfacción vital y la simulación como escape. En los fragmentos que componen el cuento, un personaje llamado Virgilio (Piñera, se sobreentiende) en un simulacro de *Divina Comedia* caribeña, guía a Pedro de Jesús, evidente *alter ego* del autor, en su búsqueda del "hombre ideal", aunque ambos saben que los ideales no existen fuera del mundo de las ideas. La ficción no se revela tampoco como espacio idóneo para utopías sentimentales y de ahí que el encuentro con un muchacho llamado René (nombre también del personaje de *La carne de René* de Piñera) haya de ser asumido como uno más de los múltiples desencuentros. El final del texto recurre irónicamente a los dominios del silencio, que opera tanto en el nivel externo de la norma social ortodoxa y protocolaria, como en el íntimo, donde la verbalización del deseo sigue siendo tabú.

> 15. Pero: imponernos callar. Callemos todos. Por miedo al derrumbe estrepitoso de la aureola metafísica. (10)

La estructura formal del relato anuncia también la voluntad estilística del autor que hace uso de la fragmentación de la secuencia cronológica y de la propia instancia narrativa para construir una imagen textual de filiación cubista, en la que desaparecen numerosas marcas del cuento tradicional, tal como la unidad y la tensión.

La misma técnica se da el cuento "La carta", aunque el grado de elaboración es mayor. Por una parte, escuchamos la voz de un narrador que fluctúa entre la tercera y la primera persona y, por otra, aparece un diálogo engranado sin las usuales acotaciones narrativas. La instancia narrativa bimembre articula un discurso superpuesto en diferentes dimensiones. Por un lado, encontramos el relato de una relación imposible entre una mujer y un hombre homosexual que, en ocasiones, es sugerida como posibilidad y deseo y, otras veces, se presenta como acontecimiento sucedido en el pasado (tiempo que igualmente parece entrar en el terreno de lo posible e imaginado). La relación heterosexual es un imposible en la realidad del texto y aparece teñida de vejaciones, imposturas y sometimiento. En segundo lugar, asistimos al enfrentamiento entre la mujer y el amante del hombre, que ha aparecido para recriminarle a ésta la escasa identidad que le otorga en una carta que ella escribiera a su imposible amante. Precisamente la fuerza que se le da a este texto, a "la carta", clave en torno a la que se mueve el cuento, incide en la idea de que la única verdad posible es la literaria. Por ello, el amante del hombre sufre el hecho de aparecer en la carta como un personaje casi anónimo y sugerido bajo un nombre genérico. Junto a esa última realidad de la escritura, aparece la imposibilidad del entendimiento mutuo y la irremediable soledad de los seres. La superposición de los planos narrativos requiere una lectura atenta y liberada de los patrones convencionales que asisten habitualmente a la narrativa breve.

"Ay, esa música (La importancia de ir hasta el final)" es otro de los relatos que gira en torno al deseo del cuerpo masculino y al desasosiego, insatisfacción y vacuidad que produce la puesta en escena y la simulación en relaciones puntuales y efímeras. Es frecuente en el discurso literario homosexual la aparición del deseo y la promiscuidad sexual ligados a una exaltación vital que, paradójicamente, aboca habitualmente en la insatisfacción y la soledad. El narrador le da al cuento capacidad para reflexionar sobre sí mismo al hacer del hecho literario la única realidad posible. Por otra parte, constantemente se juega con las fronteras genéricas, utilizando recursos estilísticos y formales propios del guión cinematográfico y del teatro.

> Es mejor llegar al final lo antes posible, sin dilaciones. Acepto derrota: estoy inconforme siempre con historia y no puedo hacer nada para trastocar rumbos. Volteo mirada hacia tocadiscos, vacío, y sin embargo, he creído escuchar violín Kansas *All we are in dust in the wind*. (32)

El subtítulo de la obra, que procede, como se ha dicho, de la obra de Stendhal, es también título de uno de los cuentos. Éste se construye sobre un juego intertextual y especular, ya que el narrador de este relato es el autor de "La carta" (cuento que se convierte ahora en hipotexto), es decir, el propio Pedro de Jesús. Éste recibe una carta de una mujer que leyó "La carta" y le pide consejo literario sobre un texto que le adjunta[13]. Éste último se va a convertir así en cuerpo central del cuento (cuento dentro del cuento) junto con las intervenciones del narrador –lector, a su vez, del texto recibido–. Nos encontramos nuevamente frente a una doble instancia narrativa, en este caso cada una de ellas elabora un relato diferente y ambos se integran, convenientemente diferenciados, en el texto que el lector enfrenta. El intratexto es un cuento de carácter erótico y lésbico en el que la narradora presenta en primera

---

[13] Esta mujer utiliza el pseudónimo de "Stendhal", junto con otros pertenecientes a personajes de *Rojo y negro*, al firmar alguna de las cartas que le envía al narrador. Evidentemente el motivo del cuento tiene que ver directamente con la importancia que las cartas juegan en la trama de la novela francesa.

persona las dudas sobre el signo genérico de su deseo y su inclinación sexual. Construido sobre las imágenes posibles de encuentros sexuales de los que esta narradora no es protagonista ni testigo visual, sino confidente o testigo auditivo, se vuelve nuevamente sobre los poderes de la imaginación y su realización en el texto. A propósito de ello dice la narradora, "veo lo que describo con una nitidez absoluta, lo creo cierto, asumo la ficción, no es más una ficción" (47). La construcción multitextual del relato prosigue con la inclusión de las cartas que el narrador le dirige a la "narradora" con motivo de la lectura del texto que ella le enviara. Asistimos a una lectura minuciosa que le exige al narrador un impreciso número de días, ya que en ese proceso sostienen ambos una discusión epistolar a cerca de la naturaleza del cuento escrito por la mujer. Estas nuevas cartas aumentan la extrema complejidad estructural y narrativa del relato.

Constantemente hay una indagación acerca de la verdad de la identidad, de las fronteras trazadas entre realidad y ficción, entre vida y ejercicio literario.

> Seguí actuando. Soy capaz de un histrionismo que logra confundir a todos, o a casi todos, incluso a mí misma. Una vez desatado, pierdo la conciencia de lo que soy. A semejanza de una máscara que no pudiera quitarse sin destruir el rostro que la soporta. A lo mejor tienen razón quienes afirman que la máscara es el sostén del rostro, y tal vez el rostro es la primera máscara o cualquier otra. Quizá sea cierto que la única realidad es el histrionismo ilimitado, y las máscaras no oculten nada sino, por el contrario, constituyan la sola forma de revelar algo, sean la suprema evidencia. (43)

La identidad de la anónima escritora queda al descubierto cuando se presenta en casa del narrador y resulta ser un hombre que ha seguido sus pasos desde que leyera "La carta", único cuento publicado hasta entonces por el narrador. Conoce las fuentes y los referentes reales que el narrador ha utilizado para la elaboración de su libro de cuentos, (el libro que el lector tiene entre manos), de próxima aparición, por lo que supone una amenaza crítica.

> Mientras él desarrollaba su conferencia sobre mí, yo meditaba sobre lo inconveniente de rechazarlo. Si él tomaba venganza propagando su saber por toda La Habana, el éxito del libro podría empañarse. Ciertas etiquetas me acompañarían siempre. Testimonial. Realista. (54)

Para salvar ese posible peligro el narrador, Pedro de Jesús, convierte en ficción la propia historia, que es el cuento que leemos, y que así termina.

En los dos últimos relatos del libro se percibe un énfasis en el tratamiento del (homo)erotismo con una mayor elaboración de las escenas sexuales. "Imágenes interrogatorio sobre muerte mujer bella" se estructura sobre una figura geométrica cuyas piezas reconstruyen cuatro aventuras amorosas del narrador que han tenido lugar de manera simultánea. Éstas se van conformando a través de los fragmentos, estructurados en varias series, que vuelven sobre los mismos asuntos y personajes. El rompecabezas que compone el montaje de todas las partes alumbra el destino de las cuatro relaciones y la conexión que entre ellas tienen con respecto a la vida del narrador. En esta revisión circular y fragmentaria de la realidad, el ejercicio del sexo pasa de nuevo por la simulación expresada en frases como "no eras la locura ni la muerte sino sus dobles" (61). El final del relato nos revela la condición epistolar del mismo, puesto que está dirigido al personaje de la primera historia, quien debe decidir el desenlace, que exige su propio aniquilamiento. Las cuatro relaciones se perfilan desde lo oculto, lo ilegítimo y, en suma, lo imposible; encuentros que no son sino desencuentros. Resulta paradójico que el personaje con quien el narrador parece convivir cuando escribe el texto y que es destinatario del mismo, es el único de los amantes con quien el narrador no había tenido contacto carnal, ya que su relación se basaba en la admiración (platónica) que provocaba en él su belleza. Traspasada la línea física, sobreviene igualmente la imposibilidad de la unión y, por ello, se le exhorta a sentenciar su propio destino.

Las conexiones entre los relatos del libro son, como se ha visto, frecuentes. De ahí que este último personaje de "Imágenes interrogatorio sobre mujer muerte bella" sea también el que irrumpiera en el final de "La carta", con lo que el montaje se extiende más allá del propio relato y obliga al lector a realizar relecturas de todo el volumen para confirmar el sentido.

El último relato del cuento lleva por título "El retrato" y es uno de los más difundidos a través de las antologías, debido quizá a la llamativa descripción de la actividad erótica. En este caso asistimos a una narración en tercera persona que se construye nuevamente sobre la paradoja de lo posible acontecido, donde la narración alterna el pasado con el futuro. En el cruce entre el presupuesto de Berkeley "esse est percipi" y el texto que se niega a sí mismo dice,

> "Yo no soy pintora; soy una de las putas de Toulouse-Lautrec", escribirá en un diario que a nadie le interesará leer: nunca aparecerá: no existirá. [...] Varias veces escribirá esa idea en el diario y estará tentada a decir que esa conducta suya será la de una mujer posterior a las revoluciones sexuales. Pero no lo escribirá, no lo pensará siquiera. (74)

En la línea de multiplicidades que caracteriza los textos de Pedro de Jesús López, este relato sostiene dos historias eróticas paralelas que se cruzan para provocar la violencia, la soledad y el caos. Ana, pintora, conoce a un taxista con el que sostiene una aventura sexual, medio por el que encuentra habitualmente la inspiración. Héctor y Gabriel son amantes y amigos de Ana, a la que visitan, cruzándose con Jorge, el taxista. Con el pretexto de facilitar su labor artística, Héctor le cede a Ana unos cuartos donde puede conjugar con mayor facilidad arte y sexo. Sin embargo, la razón que lo impulsa es seducir a Jorge, hecho que, una vez realizado, provoca la histeria de Gabriel, que destroza la obra de la pintora, y la desaparición de Jorge. En el texto se confronta la concepción genérica, que se da en Cuba y en buena parte de Latinoamérica, que establece una relación unívoca entre los paradigmas de sexo, género y poder. La mujer y lo femenino son el sexo y el género dominado, mientras que el hombre y lo masculino son el dominante, de ahí que el hombre que actúa como dominante en la relación sexual (activo) no sea considerado homosexual. Solamente es el dominado, el afeminado, quien recibe el apelativo y el consiguiente descrédito. Esta sorprendente separación de las funciones sexuales nace del esquema de valores heterosexual y profundamente conservador que, a pesar de los esfuerzos de liberación, sigue dominando en Cuba. Ana y Gabriel (el homosexual pasivo) encarnan los valores y conductas tradicionalmente asignados a la mujer como son la belleza, la sensibilidad, la histeria y el rol pasivo en el acto sexual. La entrega y sometimiento de Héctor le conducen hacia la tragedia,

> [...] Héctor se adentra en la destrucción, estoico y rebelde a un tiempo, como si la novedad de la saliva, de los ojos que desaparecen y resurgen y se pierden, del jadeo pausado hasta la inexistencia, de la caricia cada vez más caricia y melanco-

lía, fueran una espesura de la que hay que cuidarse no obstante ser inútil toda prevención, porque la espesura es eso: la realidad, el zarpazo, la muerte. (93)

La unión final entre los dos personajes masculinos incide en la idea que domina la obra de este autor, la plural condición sexual de los seres, siguiendo la concepción foucaultiana de la sexualidad como una construcción cultural. La identidad sexual de los personajes de estos cuentos es tan confusa como la identidad de las múltiples voces narrativas que se cruzan en ellos. Los personajes nunca son lo que parece que son. De esta manera se ponen en duda las limitaciones impuestas por una sociedad y una cultura que vincula la subjetividad y la identidad con la opción sexual.

> [...] la preocupación que parece dominar en estas narraciones es siempre la búsqueda de una voz que había sido elidida del discurso dominante, una voz *entendida* o *queer* que insiste en (de)construirse a sí misma mediante un constante deslizamiento que impide cualquier intento de encasillarla en una sexualidad definida. (Bejel, 2001a: 7)

La movilidad y la flexibilidad son en *Cuentos frígidos* el único medio que da cabida a la pluralidad de las identidades posibles. Por ello se construye un discurso marcadamente homosexual y homoerótico que, paradójicamente, se resiste al encasillamiento genérico; un discurso del sexo en necesario exceso, como antídoto ante el abismo de la inexistencia, pese a que resulte ineficaz y la ausencia del otro sea inevitable.

En 1999, el autor hizo entrega de su último ejercicio narrativo, esta vez en forma de novela. *Sibilas en mercaderes* se inserta en una línea de continuidad con *De donde son los cantantes* de Severo Sarduy. La construcción y el montaje teatral del simulacro, el carnaval, la tragicomedia y la parodia son el armazón del texto que, juntamente con los relatos, construye una poética de contrarios, donde la profundidad se encierra en lo leve y el cuerpo es primera y última contingencia.

En términos generales, puede decirse que, en consonancia con el pensamiento occidental, el debate y la construcción de la identidad gay en Cuba sigue las ideas foucaultianas sobre el carácter cultural de la sexualidad y su construcción a través de discursos legitimados por el poder y el saber dominante. A pesar de la precaria situación legal y jurídica, el colectivo cubano está siguiendo pautas similares a las adoptadas por el español durante la última etapa del franquismo y la transición democrática. Los lugares de ocio y asociaciones para un público gay, que en España contribuyeron decisivamente a reforzar la identidad propia de cada sujeto y a enfrentar las limitaciones de la sociedad tradicional, son todavía escasos en Cuba. La importancia del papel jugado por el cuento en esta época es la de haber creado un territorio de legitimación e identificación en la escritura que no existía en otros campos. No obstante, sigue siendo necesario un proceso deconstructivo que analice las teorías al uso, surgidas de un régimen sexual cultural y específico, para así salvar las imprecisiones y contradicciones en que se mueve el discurso homosexual (Llamas,1998) Éstas surgen repetidamente en los cuentos de los Novísimos y probablemente en este mismo discurso crítico que los analiza, pero no deja de ser un proceso necesario para la configuración de un pensamiento ausente.

El discurso homoerótico ha tenido menos fuerza en las artes plásticas, aunque de ninguna manera ha sido un tema ausente. Podemos encontrar tanto piezas de denuncia, como otras que se elaboran desde una estética que pronuncia aspectos propios del código homosexual. En el primer caso estarían obras como "Dicen que en la embajada" (1996) de Alberto Casado, que recoge la imagen de un conocido episodio referido, entre otros, por Juan Goytisolo, en el que el Ché en la embajada cubana en Argel menospreciaba el volumen de *Teatro completo* de Virgilio Piñera por el hecho de que su autor fuera homosexual. El hecho de llevar ese momento a la imagen no sólo proyecta una luz diferente sobre la figura mítica de Ernesto Guevara, aspecto reforzado por la dureza con que se presentan sus rasgos, sino que explicita la necesidad de reflexionar sobre la homofobia del discurso del "hombre nuevo", así como sus efectos en la historia reciente cubana.

Por otra parte se dan obras, como la de Juan Pablo Ballester o René Peña, donde se trabajan aspectos relacionados con el universo homosexual, tales como el travestismo o la hiper-sexualidad, sin adscribirse unívocamente a reivindicaciones políticas de género. Su función es la de proporcionar un nuevo código estético, en el que elementos tradicionalmente ocultos se hagan visibles, subrayando la versatilidad de todo orden dado y las diferentes posibilidades de figuras y signos.

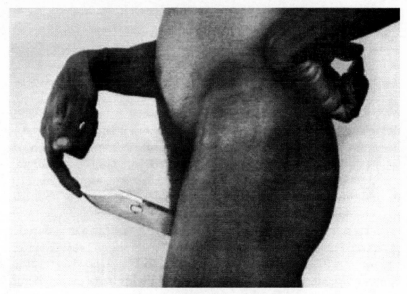

Lámina 13. René Peña, Sin título (1994).

EL CUERPO Y SUS POSIBILIDADES: LA ERÓTICA, LA ENFERMEDAD Y LO FEMENINO

Ya Bajtín (1989) y Foucault (1980) se han ocupado de analizar la representación del cuerpo en el discurso literario, fundamentalmente estableciendo paralelos entre la concepción del cuerpo y el régimen político de la sociedad en que éste se localiza. De igual modo, el pensamiento social de Pierre Bourdieu (1992) le concede una importancia trascendental al cuerpo al considerarlo portador de un alto capital simbólico que lo convierte en una fuerza social sometida al saber/poder legitimado. El cuerpo es tanto la expresión de una determinada clase social y de un *habitus* específico como un medio con el que mantener un orden de las cosas favorable a la élite dominante. Dentro de los estudios antropológicos de raíz marxista, Bryan Turner (1984) entiende que una de las características específicas de los gobiernos socialistas es el hecho de que niegan la satisfacción del deseo en pro de la satisfacción de las necesidades. En este sentido, resulta fácilmente perceptible la aplicación de esta idea en la historia reciente de la doctrina sociopolítica cubana que converge con la concepción de un sujeto revolucionario, "el hombre nuevo", modélico, basado en la salud, la fuerza y la productividad, del que quedaban excluidos los enfermos, débiles y aquéllos que no siguieran cabalmente los parámetros de lo "productivo". Por ello los homosexuales, estériles, y los artistas no militantes del realismo socialista no contaron con representación en el nuevo dibujo del cuerpo social. Jean Franco ha señalado, expresando una idea que marca buena parte del pensamiento feminista, que "no puede haber esfera pública de debate que no incluya al cuerpo, hasta ahora privado" (1996: 110). Por tanto, parece lógico que si la toma de posición literaria de los Novísimos se establece como intento de abrir un debate público inexistente, se esfuerce por elaborar construcciones corporales ajenas al canon producido desde el discurso oficial. Ya se señaló anteriormente como en muchos de los cuentos que establecen un discurso de género o *queer*, especialmente en la obra de Pedro de Jesús López y Ena Lucía Portela, es central y recurrente la representación de cuerpos en prácticas eróticas homosexuales. En estos cuentos no sólo se da visibilidad a construcciones corporales vinculadas a discursos excluidos hasta ese momento de la sociedad, sino que también se exploran los aspectos asociados a esos cuerpos. Las prácticas sexuales y vitales de los protagonistas de "Un loco dentro del baño" y "Al fondo del cementerio" de Ena Lucía Portela suponen un intento de decodificar el sentido que la tradición y el poder le han dado al sexo, dando carácter natural a construcciones culturales como el género y el sexo (Butler, 1993, 1999). El sexo es el máximo exponente de la satisfacción del deseo, habitualmente coartado por los límites políticos y sociales. De ahí que la presencia de lo sexual, lo erótico y lo pornográfico caracterizara especialmente los cuentos de Pedro Juan Gutiérrez, Alberto Garrido, Alberto Garrandés, Pedro de Jesús López, José Miguel Sánchez o Alejandro Aguilar. En la plástica, llama la atención la obra pictórica de Tomás Esson, quien fusiona lo erótico y lo grotesco para demoler símbolos y mitos. Así, en su obra "Mi homenaje al Ché" de 1987, se pueden apreciar dos figuras amorfas copulando frente al clásico retrato que Korda tomó de Guevara. Para el crítico de arte Rufo Caballero esta abundancia de elementos sexuales en la obra de arte es una "orgiástica pero racional expresión de la rebeldía contra toda verdad autoritaria y el ensayo o la aspiración a un mundo menos restrictivo, más oxigenado y tolerante, menos agónico, un ápice más placentero" (1994a:14).

La presencia fue tan general que, no faltan, de hecho, obras que parodien el excesivo tratamiento del tema, aunque sin dejar de presentarlo como aspecto necesario. "Tonel" realiza con "El tucán" (1988) un ejercicio de humor en el que el pájaro que da título a la obra aparece en el ángulo superior izquierdo de la lámina, ocupando, por tanto, un espacio secundario. Su actitud es la del *voyeur* que, desde la ventana abierta, contempla la escena que tiene lugar en el interior de la casa. Ahí, el espectador puede observar, como parte central de la obra, a una pareja realizando el acto sexual sobre una cama. La obra asume la potente atracción que el sexo ejerce como imagen y legitima su representación y visualización, pero también reflexiona sobre su simplicidad y naturalidad, dejando a un lado tanto excesos como tabúes.

Es interesante atender a un aspecto que se sitúa de alguna manera en el extremo opuesto al cuerpo sexual, el cuerpo enfermo, otro polo fundamental y menos observado en el que se centran los Novísimos. Sorprende el elevado número de personajes enfermos, con patologías físicas o psíquicas, que atraviesan los cuentos de los Novísimos con el objetivo de encarnar un diferente cuerpo social. Llaman la atención específicamente los personajes de Ena Lucía Portela, Anna Lidia Vega, Jorge Luis Arzola y Daniel Díaz Mantilla. Por un lado, el enfermo accede al espacio literario como vía para legitimar otras posibilidades físicas, es decir ideológicas, que no respondieran a la épica y viril concepción del "hombre nuevo". Por otro, estos enfermos proyectan la existencia de un cuerpo social descompuesto y desvirtuado. Susan Sontag (1978) ha señalado como, a lo largo de la historia, la enfermedad ha sido una metáfora repetidamente utilizada para criticar sociedades disfuncionales. Puesto que el proyecto social revolucionario se basó en la creación de un colectivo de sujetos "sanos", apoyándose en la noción del "hombre nuevo", cualquier alusión a procesos degenerativos físicos o mentales internos quedaron excluidos de su discurso. Tanto la narrativa de la violencia como el cartelismo, que surgieran como expresión de dicho proyecto y como elemento activo en la creación de su imaginario, se nutrieron de personajes sanos y épicos. Si los Novísimos recurren con frecuencia al tema de la enfermedad es, precisamente, por el hecho de haber sido un aspecto vedado debido a su profunda carga crítica. En la cuentística, dos son las enfermedades que abundan, una mental y otra física, las dos emblemáticas, la locura y el SIDA.

El uso de la locura en el cuento cubano contemporáneo sigue la línea que nace en Tomás Moro y sitúa a los personajes fuera de las normas sociales, ajenos a deberes, aunque también exentos de derechos. En un sistema represivo, el loco es el único emisor de un discurso genuinamente sincero, aunque presuntamente su palabra no sea tomada en cuenta en el escenario de lo real. No sólo su discurso es "libre", sino que usualmente los personajes de los relatos muestran modos de vida que son considerados "insanos" en los parámetros tradicionales, no forman parte del grupo, del colectivo, no son productivos ni "compañeros". En el caso cubano, los locos son los únicos disidentes del proyecto revolucionario que han logrado permanecer en el territorio insular y no han sido expulsados ni han sentido la necesidad de exiliarse. Son, por tanto, la única oposición "legitimada" en tanto que no son perseguidos. Es por todo esto que una zona importante de la narrativa de los Novísimos los elige como protagonistas. Como ya se dijo, la locura es uno de los temas centrales en los cuentos de Jorge Luis Arzola. Asimismo, Anna Lidia Vega se acerca, desde una óptica más íntima, al tema, asociando el padecimiento mental a la condición femenina, lo que se traduce en la denuncia de una doble marginación. Tanto en el primer libro de relatos de esta autora, *Bad painting*, como en el segundo, *Catálogo de mascotas*, aparecen personajes femeninos afectados por conductas patológicas, siempre en una línea autodestructiva. En "La reina invisible", cuento incluido en *Catálogo de mascotas*, asistimos al discurso inmediato de una joven con una percepción absolutamente dislocada de la realidad que, desde ese campo limitado, nos presenta el abuso sexual que sufre y la incomprensión del medio. Diferente es el enfoque de Enrique del Risco, donde la locura es un aliado del humor, convirtiéndose en una locura carnavalesca y de inversiones, cercana en muchos momentos al absurdo, que sirve de contradiscurso político. En el relato "Cantar de gesta", de excelente factura y técnica, la locura surge de la confusa y absurda lógica de lo real. De la misma manera, en la obra de Ena Lucía Portela la locura es un síntoma de rebeldía, una apuesta por la diferencia y la validación de lo personal, fuera de los parámetros identitarios oficiales.

La enfermedad ha sido narrada en Occidente en términos bélicos, dándole la imagen de ejército enemigo, ajeno a los límites nacionales, contra quien toda la sociedad debe "luchar" en pro del bien común

(Sontang, 1978, 1988). El SIDA ha sido utilizado como arma política por todos los gobiernos de los países afectados (Adam, 1989), siendo en Cuba considerado una enfermedad propia del capitalismo, fruto de la degradación moral de sus costumbres y de la ausencia de control sobre actividades "ilícitas" y "perniciosas", como la homosexualidad, la prostitución y la drogadicción. El enfermo de SIDA ha sido un sujeto doblemente discriminado, en primer lugar por ser portador de una enfermedad contagiosa y mortal y, en segundo, por haber infringido las normas éticas y legales. No sólo se le ha considerado un enfermo, sino también un delincuente, por lo que la reclusión resultaba obligada y contribuía a garantizar la seguridad del resto de la sociedad. En 1986, la mayoría de los portadores del virus fueron internados en un sanatorio de Santiago de las Vegas, localidad cercana a La Habana en la que naciera Italo Calvino, que recibió el nombre de la finca en que se ubicó, "Los Cocos". Como hospital especializado, los enfermos allí internados eran atendidos con rigor médico y tenían a su alcance medicinas y alimento que, en buena parte, faltaban en la mayor parte de los hogares cubanos en aquel momento. No obstante, su régimen de estancia era en calidad de reclusos y solamente podían salir de la clínica con permisos especiales.

Los Novísimos atendieron con especial interés el significado que esta marginación suponía en su traslación social. En 1993, Raúl Aguiar, Daniel Díaz Mantilla y José Miguel Sánchez, quienes habían publicado ya un número importante de textos que trataban de legitimar la voz de jóvenes afectados, iniciaron una labor de divulgación sobre el SIDA. Radicados en la asociación "El patio de María", lugar de reunión y trabajo alternativo de jóvenes artistas de diferentes áreas, crearon el grupo "Grujucult", que se proyectó como una continuidad de "El Establo", siempre con el objetivo primordial de constituir un amplio foro de debate en el que cupieran voces marginales segregadas de los reducidos órganos de expresión en Cuba. En 1997, apareció una más de las antologías que han caracterizado la puesta en escena de los textos de los Novísimos, aunque en esta ocasión estaba dedicada en su totalidad a textos versados sobre el SIDA[14]. Los cuentos pertenecían en su mayor parte a escritores Novísimos, pero compartían la edición con algunos pertene-

---

[14] *Toda esa gente solitaria*, Lourdes Zayón y José Ramón Fajardo eds., Madrid, La Palma, 1997.

cientes a enfermos residentes en "Los cocos", donde se había creado un taller literario que llevó por nombre "La montaña mágica". A diferencia del tratamiento de este tema en otras literaturas, en Cuba no ha ido ligado necesariamente al de la homosexualidad, pero sí al desarrollo de la vida de los jóvenes, signados en ese momento histórico por el deseo de cambio y remodelación social. En algunos relatos, se percibe una intención divulgativa, donde el tratamiento del tema se realiza desde una comprensión humanizadora e integradora. No encontramos personajes "enfermos de SIDA", sino sujetos tangibles con una identidad y problemática propia. El relato de Alexis Díaz Pimienta incluido en la citada antología, "Huitzel y Quetzal"[15], une el tema del SIDA con el de la prostitución de las jóvenes cubanas y el foco de contagio que la relación con los clientes extranjeros ha supuesto para ellas. Es necesario subrayar que por las características específicas de la sociedad cubana, las mujeres y, especialmente las prostitutas, han sido el colectivo más afectado. Precisamente, varias obras realizadas por mujeres en este momento hablan de la necesidad de discutir asumidos comportamientos femeninos que encarnan nocivos patrones androcéntricos y machistas.

Sin ningún tipo de contenido divulgativo, hay también un número de obras, especialmente textos de componentes de "El Establo", que participan de lo que se llamó "la poética del escándalo", inaugurada por los relatos escritos en los años ochenta por Sergio Cevedo Sosa. Nacía ésta del tratamiento de temas evitados por la literatura cubana precedente, la demolición de tabúes sociales y la inversión de creencias básicas en la moralidad al uso con el objetivo de reivindicar patrones de conducta diferentes a los legitimados. Así, "La moneda, la bóveda, yo sólo trato de alcanzar"[16] de Ronaldo Menéndez narra la voluntaria marginación de unos jóvenes que se inyectan el virus en un ritual carnavalesco. Estos jóvenes desean formar parte de una comunidad diferente, como lo hacen los enfermos de SIDA, una comunidad que no participa de los valores de la gran mayoría y que autoproclama su derecho de elección. Si el SIDA fue una etiqueta que revelaba una identidad hasta entonces oculta (Sontag, 1988), el hecho de voluntariamente adquirirlo

[15] Perteneciente al volumen de relatos *Los visitantes del sábado*, La Habana, Letras Cubanas, 1994, pp. 5-13.
[16] Perteneciente a *Alguien se va lamiendo todo*.

expresa la radical necesidad de expresión, la imposibilidad de mantener el silencio de la diferencia.

El cuento de Ricardo Arrieta, "Recuerdos obligatorios del olvido", recoge en cierta medida el testigo del anterior, pero otorga mayor riqueza a los personajes y especial hondura a la composición narrativa. Arrieta construye el relato sobre un aparato metaliterario que corre parejo a la acción. Su estilo muestra el influjo de usos y técnicas propios de los medios audiovisuales que se traducen en una composición fragmentaria del discurso, sin marcas sobre los cambios temporales. Todo ello exige un lector atento y cooperativo que ensamble un montaje de imágenes sin linealidad cronológica pues el personaje narrador escribe habitualmente de manera fragmentaria, como reflejo de su actitud vital, sin orden ni intención. Narrador y lector asistimos en primera instancia al análisis sintáctico y semántico de la frase "Recordaré a Mónica como una muchacha que siempre llevaba en la cartera un manojo de preservativos". Desde esa plataforma lingüística accedemos a la trama en la que se nos narra la relación íntima entre Jorge y Mónica, portadora del virus. El desenlace vuelve a situarnos en esa tendencia autodestructiva y apocalíptica que se observa en muchos textos iniciales de los Novísimos, cuando el personaje, voluntaria y calladamente, mantiene relaciones sin medidas preventivas.

Valga decir, entonces, que la enfermedad crónica, aquí la locura o el SIDA, es la metáfora más obvia para entender un estado social falto de juicio, descompuesto, inerme y desahuciado. Un estado que no puede valerse de curas externas, sino de una reconstrucción orgánica y de base, previa disección autocrítica, proyecto en el que radica la literatura de los Novísimos.

En "Corazón partido bajo otra circunstancia" de Alberto Guerra, incluido en el volumen *Blasfemia del escriba*, el cuerpo se presenta también como alegoría social. La técnica utilizada es un exquisito ejercicio de imaginación y capacidad narrativa, deudora de usos propios de la cinematografía, que explícitamente hace del lector espectador de la imaginación del narrador, frontera y hacedor del cuento. Éste se centra en un día crucial en la vida de la protagonista, ya que es raptada y violada en el momento en que, irónicamente, debería estar recibiendo público reconocimiento por su trabajo de manos de un alto cargo político. La mujer, de escasos atributos físicos, le da voz a la presuntamente hermosa protagonista de una radionovela de gran éxito en el país. Cuando el personaje intenta salvarse de la agresión revelando su identidad ficticia, el violador, incapaz de diferenciar la ficción de la realidad, se niega a creerla y se burla de sus pretensiones. El desfase existente entre el "cuerpo" creado en los *media*, producido por el discurso ideológico, y el "cuerpo físico", que debe afrontar las vicisitudes cotidianas, dibuja una insalvable quiebra social. El final del relato vuelve a valerse de la ambigüedad de los símbolos al confrontar dos desnudos femeninos, el de la mujer agraviada con el de otra que acaba de disfrutar de los placeres del sexo. Se superponen dos construcciones irreconciliables del mismo cuerpo, la primera intangible, puesta al servicio de una causa política, la segunda carnal, que sufre los deberes impuestos por la primera. En el relato, el cuerpo como tema comparte su protagonismo con el azar, siendo perceptible la huella de Cortázar y Auster, la casualidad como agente fundamental de la Historia y de las múltiples y particulares historias personales.

Entre los artistas plásticos, el cuerpo ocupa un lugar central en la obra pictórica de Tomás Esson, cuyos personajes muestran características grotescas y deformes, y en la fotografía de Marta María Pérez y las obras preformativas de Tania Bruguera. En Marta María Pérez el cuerpo funciona como pretexto para una reflexión sobre la identidad propia, la experiencia femenina y su relación con las creencias populares. Sus imágenes responden a ideas preconcebidas, elaboradas mediante una escenificación protagonizada por ella misma y que, en última instancia, es captada a través del objetivo. Generalmente, la imagen se presenta enmarcada con una inscripción o título que responde a creencias de la Regla de Ocha (Santería) o de Palo Monte, en ocasiones extraídas de la obra etnográfica de Lydia Cabrera. No obstante, la obra de Pérez no es una obra religiosa, sino que responde más bien a un nivel antropológico y cultural que se centra en el estudio de las creencias populares cubanas, sus mitos y supersticiones. La artista confiesa que su aproximación al culto africano se fundamenta en el pragmatismo que éste posee frente otro tipo de creencias (Orlando Hernández, 1996). El enfoque de la investigación responde al del analista que está inmerso en el propio objeto de estudio y del que participa en su condición de mujer. Las imágenes inmóviles presentan abundantes desnudos con el objetivo de vencer los estrechos márgenes gráficos y semánticos que el saber masculino ha asignado al cuerpo femenino. Explora la feminidad y sus inquietudes no atendidas combinando elementos armónicos, que generalmente proceden del equilibrio de sus desnudos, con otros agresivos. "Para concebir" (1985) incluye varias imágenes fotográficas que, con un marcado carácter autobiográfico, abordan el conflicto del embarazo, generalmente ausente en los lenguajes estéticos. Conjura con ellas creencias y supersticiones populares sobre embarazos frustrados o problemáticos, pero también crea el espacio artístico para el tratamiento de uno de los temas fundamentales en la vida de la mujer. En Marta María Pérez el uso del desnudo femenino es un recurso habitual que le sirve para romper con los tópicos que le asignan un valor tropológico vinculado a la belleza o a lo erótico. En el caso concreto de las fotografías de "Para concebir", el cuerpo en gestación de la mujer se dibuja como un mapa a través del que podemos vivir los conflictos que surgen en ese proceso.

Puesto que la fotografía post-revolucionaria "se movilizó desde un principio en dirección a lo popular" (Molina, 1996: 277), incluso en el tratamiento de temas épicos, el género presenta en las últimas décadas del siglo XX, una mayor complejidad conceptual tanto en el orden estético como en el funcional. Esta conceptualización está presente en Marta María Pérez y en la fotografía de Arturo Cuenca, José Manuel Fors, Rogelio López Marín y Leandro Soto. En los años noventa, fotógrafos como Carlos Garaicoa, René Peña, Manuel Piña y José Ángel Toirac mantienen la factura conceptual desde una perspectiva más deconstructiva, con la que cuestionan el código fotográfico establecido sobre la "noción única de realidad, la imparcialidad del medio y la confiabilidad del operador"(Molina, 1996: 278).

En "No zozobra la balsa de su vida" (1995) [lámina 14], Pérez Bravo proyecta múltiples conceptos sobre la imagen del cuerpo femenino. Por un lado, discute atributos de inestabilidad emocional que han sido establecidos históricamente desde los parámetros masculinos. La imagen entiende la vida como viaje para el que la mujer cuenta con un medio de transporte inestimable. Por otra parte, la fotografía alude a un tema de gran interés social en los años noventa, el de los balseros, recurrente en la obra pictórica y literaria de los Novísimos.

Tania Bruguera ha trabajado sobre la reconstrucción de la memoria estética como vía curativa ante el abismo que produce la presencia de la soledad y de la muerte. Trata de burlar el exorcismo que tradicionalmente se ha hecho de *tanatos* a través del cuerpo femenino y, para

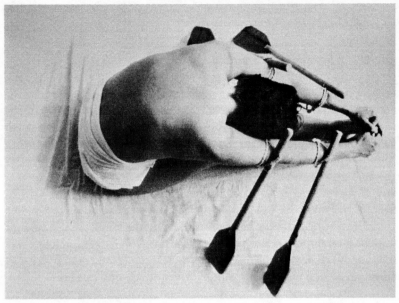

Lámina 14. Marta Pérez Bravo, "No zozobra la barca de su vida" (1995).

ello, la artista ofrece y recurre al suyo, conjurando en sus *performances* e
instalaciones los usos que lo han estigmatizado. Una de sus influencias
más notables es la de Ana Mendieta, artista que cifraba en la impermanencia de su arte la fuerza de su memoria; la presencia de la figura
femenina en las *performances* de Mendieta hablaba, a un tiempo, de la
potencia de lo efímero y de la impermanencia de lo tangible. En la V
Bienal de La Habana (1994), Tania Bruguera permaneció inmovilizada
dentro de una barca durante dos horas. La ejecución, bajo el nombre
de "Miedo", pertenecía a una serie denominada "Memoria de la Posgue-
rra"[17]. Bruguera presenta su crítica social envuelta en un halo dramático

---

[17] El título coincide con un periódico, entendido como obra personal, que la
artista puso en circulación en 1993. Consiguió editar dos números de 500 ejemplares
cada uno, pero el segundo fue censurado y confiscado. Según Mosquera, "la represión
obedeció al fragmento de libertad que la publicación creaba" (1995:135) pues se elabo-
raba y editaba sin ningún control estatal, y no a que su contenido fuera irreverente o
contestatario.

que contrasta vivamente con otras perspectivas más irónicas y habituales en la escena artística.

Es evidente que tanto en Marta María Pérez como en Tania Bruguera sobresale el interés por trabajar un discurso esencialmente femenino, característica también presente en varias escritoras de cuento. El carácter que primó en la narrativa privilegiada en las décadas precedentes excluyó a las mujeres, quienes no encajaban de entrada en los parámetros vigentes de dureza y agresividad.

> La invisibilidad de la escritura femenina en el "gran texto" de nuestra época llegó a tal grado que en la década de los 80 se hablaba incluso de la inexistencia de una narrativa femenina en el país. (Capote, 1996: 124)

Con el triunfo de la Revolución, la tradición dominante de la cultura patriarcal cubana sufrió fisuras que abrieron determinados y delimitados espacios a la mujer. Con ellos se dio legitimidad a éstas en la actividad social, pero paradójicamente esos espacios han resultado dar pie a un escaso cambio en la escala de valores tradicionales, que aún hoy operan con mucha fuerza en el país. En el terreno literario únicamente el género poético dejó oír voces femeninas con cierta asiduidad.

> En 1984 era evidente que las mujeres cubanas habían recorrido ya un largo trecho en el camino de su liberación, lo que constituía, sin dudas, uno de los grandes logros de la Revolución, y era también una hazaña de cada una de ellas; pero esto no aparecía tematizado en los textos narrativos de ese cuarto de siglo ni daba muestras de haber sido concientizado por la autoras y, mucho menos, por los autores. (Campuzano, 1996a: 52)

Precisamente por esto, buena parte de las narradoras actuales construyen sus textos con una marcada voluntad de crear un discurso específicamente femenino. Coincido con la opinión de la escritora y crítica cubana Mirta Yánez (1996) en que el saber cultural y literario legitimado, masculino por definición hasta nuestros días, se ha encargado de trazar una delimitación entre "literatura" y "literatura femenina", sin considerar las diferencias terminológicas que separan la última de las acepciones de la de "discurso femenino", que entraría en cualquier comprensión cabal de la historia de la literatura. Es necesario diferenciar entre "el discurso de lo femenino", construido en una literatura dominada por hombres que ha otorgado a la mujer una serie de anquilosadas imágenes y reducidos conflictos, perpetuando su relegada posición social a través de los textos, y el "discurso femenino", nacido de la voluntad de las mujeres por hacer visible una identidad propia y libre de estigmas en el seno social. No necesariamente la literatura escrita por mujeres pasa por la edificación de ese discurso femenino, aunque en muchas escritoras se impone la necesidad y la voluntad de construirlo para combatir un discurso del que no participan y abrir, así, espacios a voces históricamente silenciadas. La construcción de ese discurso precisa hallar una identidad femenina y una interpretación del mundo propia, desinhibida y despojada de complejos, combativa, pero no resentida ni agresiva. No se puede hablar entonces de una literatura femenina, escrita por mujeres, sino, en algunos casos, de una literatura que elabora un discurso femenino. Este discurso va a enfrentar necesariamente al previo y dominante, que lo ha excluido en el pasado. Parte importante de la crítica literaria femenina considera que la clave no reside en averiguar si las escritoras tienen temas específicos o un estilo diferente a los hombres, sino en explorar las relaciones de poder. El discurso femenino que se describe en algunas de las nuevas narradoras cubanas proviene de un sujeto subalterno, segregado del texto literario canónico que se enfrenta políticamente a ello tratando de crear un espacio en que se legitime esa diferencia.

En Ena Lucía Portela se percibe el deseo de alejarse de la reivindicación victimista, asumiendo la diversidad que existe entre el propio colectivo de mujeres. Nacida en La Habana en 1972, esta autora es uno de los nombres más sugerentes del actual panorama literario cubano. Perfeccionista, crítica y selectiva en la concepción de toda su obra, ha recibido numerosas menciones internacionales por su obra narrativa, tanto cuento como novela, que ya ha sido traducida a diversas lenguas.

Todos sus relatos se caracterizan por un agudo trazo de los personajes y un registro amplísimo, en ocasiones de una oscilación llamativa, en el manejo del lenguaje. Participa de cierto gusto experimental que construye el discurso con la superposición de diferentes fragmentos, transgrediendo la lógica lineal y composicional del relato clásico. Habitualmente abordados desde el punto de vista del narrador omnisciente o con la focalización interna del narrador que es a su vez personaje, los relatos presentan una carga reflexiva que corre pareja, y a veces se impone, a la trama. El soporte lingüístico hace gala de una sintaxis precisa y de un léxico coloquial e informal que combina con otro de carácter específicamente culto.

La formación filológica de la escritora se percibe en el uso constante de elementos intertextuales. Las referencias que encontramos en sus relatos van desde los autores clásicos de la antigüedad hasta los canónicos de la modernidad. Federico García Lorca es uno de los autores a quien rinde homenaje en el volumen de cuentos *Una extraña entre las piedras*, al utilizar su figura y su obra como anécdota del cuento "Voces de muerte sonaron". Otra influencia importante es la de escritoras que se esforzaron por hacer valer su voz dentro de un campo cultural dominado por los hombres. Es el caso de las norteamericanas Djuna Barnes y Sylvia Plath o de una de las principales fundadoras del feminismo literario como Virginia Woolf. Dentro de la crítica cubana y norteamericana, se ha hablado de Ena Lucía Portela como uno de los artífices de un credo centrado en los reclamos feministas y lésbicos. En mi opinión la lectura de su obra no lo desmiente, pero sería empobrecedor limitar el alcance de ésta a un aspecto tan específico. Precisamente sobre este tema se pronuncia la instancia narrativa del relato "Una extraña entre las piedras"[18], en el que se recrea de principio a fin una atmósfera lésbica a través de los personajes, todos femeninos. En él, una escritora cubana exiliada en Nueva York rememora las circunstancias sentimentales que acompañaron su llegada a esta ciudad. Se centra la autora, a través del *alter ego* que encuentra en la narradora y protagonista, en las relaciones emocionales entre dos personas, uno de los focos favoritos de su narrativa, que, en este caso, son dos mujeres. La estructura del relato juega con el valor de lo esencial y lo prescindible, al centrarse en una relación, efímera y nociva, mediante la cual se llega a otra, firme y duradera, que, no obstante, queda en segundo plano narrativo. Se abre el cuento en prolepsis y se cierra en analepsis, adelantando o evocando, respectivamente, la relación central. La pareja de la protagonista en la unión temporal le sirve a la autora para hacer una crítica cáustica de feministas militantes, a través del retrato de una mujer cargada de con-

---

[18] Cuento incluido en el volumen de relatos del mismo título, publicado en 1999. El título procede de un verso de Lourdes Casal, escritora cubana exiliada en Nueva York desde los años sesenta con quien el personaje de este relato muestra ciertas analogías. Ver el poema "Para Ana Velford" (Casal, 1981: 60-61).

signas políticas que la inmovilizan para fluir en lo cotidiano. Ajustando el enfoque, la crítica se cierne sobre el sector progresista e izquierdista de los países capitalistas que, encerrados en falsas o caducas nociones, han sido uno de los apoyos más firmes del castrismo. Precisamente al hilo de esa crítica se incluyen los versos de Lourdes Casal con los que se cifraba la condición del exiliado que pierde una identidad innecesaria para convertirse en extranjero en cualquier lugar.

En una "Una extraña entre las piedras", Ena Lucía Portela le cede experiencias vitales propias a la anciana narradora, quien nos relata su pasado para incluir algunas reflexiones sobre su poética en las que se percibe el vehemente deseo de no ser incluida en una literatura específicamente marcada por el género. Una de las anécdotas que utiliza es el encuentro de escritoras caribeñas que tuvo lugar en otoño de 1998 en el Hunter College de Nueva York y al que asistió la autora y, entre otras, las también Novísimas Anna Lidia Vega y Mylene Fernández. Allí se propuso el desarrollo de un discurso literario femenino defensor de la capacidad regeneradora de la mujer. Un discurso centrado en la heroicidad femenina, capaz de dar signo positivo a las experiencias, pese a las frustraciones y desequilibrios derivados del sometimiento a un patrón de conducta ajeno. Ena Lucía Portela niega, sin embargo, su identificación con ese sujeto, construido por el feminismo americano y que en buena parte ha oscilado entre polos que ejercen de límite. Entre otras muchas feministas, Judith Butler ha planteado la necesidad de un cambio en los presupuestos teóricos sobre los que se construyó la reivindicación feminista y que, paradójicamente, han limitado el desarrollo del movimiento. Coincide con la autora cubana en que "existe el problema político con que se encuentra el feminismo en la suposición de que el término *mujeres* denota una identidad común" (1999:28).El uso que la escritora cubana hace en su obra del tema femenino o del lésbico nace de un interés específico por tratar una zona de la experiencia vital que le sirve para indagar en sus propios interrogantes. El deseo de llevar lo privado al terreno de lo público se percibe como una vía de construcción de un discurso ausente, más que de negación de discursos al uso. Dice la protagonista del relato,

> Tal vez me hubiera gustado ser una escritora feliz, pero el hecho es que no lo era. [...] Ser una escritora a secas ya me parecía bastante, incluso demasia-

do, sobre todo porque tampoco veía nada especial en ser mujer. Sigo sin verlo. Ser mujer, como ser hombre, animal, vegetal, mineral o extraterrestre, es una fatalidad y no una elección. Se es mujer pese a todo y sin esfuerzo, sin responsabilidad. No había por qué armar tanto ruido, reescribir la Historia, demostrar que fulanita había sido mejor que fulanito, profanar las tumbas de nuestras ilustres antepasadas y descubrir el Hudson. No era necesario privilegiar los temas eróticos, los espacios interiores y familiares, la página descuidada con errores gratuitos de sintaxis y de puntuación, la ignorancia iconoclasta, la inmediatez más burda, la trivialidad, la falta de rigor en la crítica, el color local, la propaganda torpe y las pasiones baratas. El determinismo a ultranza. (115)

Del párrafo anterior podemos extraer además otra de las constantes de la obra de esta autora, explícita en la primera línea, el sentido trágico de la existencia. Éste pretende ser burlado en el texto con el uso constante de la ironía y la sátira que tienen como blanco al sujeto narrativo, proyección las más de las veces de la propia autora. La imagen del relato queda entonces dibujada en muecas grotescas que provocan en numerosas ocasiones la perplejidad del lector.

Aunque integró el grupo "El Establo" su realización literaria difiere bastante de la de la mayoría de los integrantes de aquél, quienes en sus primeras obras elaboraron relatos de corte testimonial referentes a un grupo concreto de la sociedad cubana y con unas reivindicaciones sociopolíticas muy marcadas. Ena Lucía Portela no recurre a una literatura de corte sociológico explícito, sino que trabaja con fervor la composición contradictoria del espíritu humano para llegar, por una vía más personal, a similares planteamientos. Sus relatos se centran en anécdotas que se mueven en torno a las relaciones humanas, sus conflictos son los que surgen del contacto entre individuos que buscan el propio conocimiento a través del otro. Esta es la razón por la cual el catálogo de sus cuentos nos lleva a una galería de desencuentros y frustraciones que, debajo de la ironía y la burla, dejan ver una vivencia amarga de la existencia. Probablemente la línea que la une con el resto de integrantes de "El Establo" es su participación en ciertos aspectos de la "poética del escándalo". En esa zona se encuentran varios de los restantes cuentos del libro de Ena Lucía Portela, habitados por personajes fronterizos, trazados con líneas que los asemejan a la caricatura grotesca. Eruditos hasta la obsesión, los tres personajes masculinos de "Un loco dentro del baño": el bello, el deforme y el demacrado bibliotecario onanista, convierten el tradicionalmente simbólico espacio de la biblioteca en su particular lugar de encuentro y solaz. En él llevan a cabo prácticas sexuales, todo ello bajo la secreta mirada de una joven obsesionada con el más agraciado de los hombres.

Igualmente en las afueras de la conducta social establecida viven los personajes de "Al fondo del cementerio", donde se aborda la práctica del incesto como un *modus vivendi* legítimo y alternativo a una sociedad que lo condena. Los hermanos protagonistas viven en una especie de nicho, tan real como metafórico, que constantemente quiere ser penetrado por las fuerzas del orden social, paródicamente encarnadas en la figura de un fumigador.

> Lo marginal penetra la cultura para, desde su amoralidad neutralizadora, desde su excentricidad, subvertirla al carnavalizarla. Espacio de negación, de alienación, se construye un contradiscurso desde la propia cultura, mediante la escritura. (Araújo, 1997: 219)

Tanto en el aspecto extratextual como en el propiamente textual se manifiesta una voluntad en Ena Lucía Portela por deshacer los tópicos y cuestionables parámetros que rigen la ética de la sociedad. La rigurosa seriedad y calidad literaria de sus cuentos, junto al hecho de dar voz a personajes ajenos a la norma moral, ya sea por su conducta sexual, ya por su particular modo de vida, son los aspectos fundamentales que hacen de ella una de las figuras de mayor fuerza en el panorama de la nueva narrativa cubana. Además de algunos cuentos publicados de manera aislada y del volumen aquí analizado, la autora cuenta con otro reciente volumen de relatos, *Alguna enfermedad muy grave*, y tres novelas que han recibido una extraordinaria acogida internacional: *El pájaro: pincel y tinta china* (1998), *La sombra del caminante* (2001) y *Cien botellas en una pared* (2002).

Al hilo del discurso de lo femenino, encontramos también el tema de la prostitución que ha sido abundantemente tratado por autores Novísimos, fundamentalmente por la posibilidad de crítica política que encierra. El discurso castrista se vanaglorió repetidamente de haber acabado con el impune tráfico sexual que dominaba la Cuba de la República bajo el ala de la protección norteamericana. Sobre este logro liberador existe un número nada desdeñable de relatos escritos durante el periodo revolucionario (Víctor Fowler, 1998a). A lo largo de tres décadas el negocio de la prostitución fue escaso y clandestino hasta que sale de nuevo a la luz con la crisis del Periodo Especial, momento en el que el gobierno centra su política económica en el turismo y favorece la dedicación femenina al negocio de la prostitución, dando lugar así a un turismo específico que se ha dado en llamar "sexual". Aunque progresivamente ha aumentado la profesionalización, la mayoría de estas mujeres suelen ser estudiantes o jóvenes profesionales que, en muchos casos, no reciben dinero, sino atención, comida, ropa o productos de otro modo inaccesibles. Como se observa en algunos relatos, la prostituta cubana tiene como objetivo entablar una relación seria con alguno de sus clientes (en su mayor parte españoles e italianos, conocidos coloquialmente como "turipepes") que la "salve" sacándola del país. La mayoría de ellas no se consideran prostitutas y creen que su dedicación es momentánea y justificada por el objetivo digno de conseguir una vida mejor. En "Aniversario"[19], de Karla Suárez, uno de los pocos ejemplos sobre el tema escrito por una mujer, asistimos a una conversación telefónica que sostienen dos mujeres, una de ellas alojada en un hotel de lujo con un extranjero. De hecho, el texto se construye sobre los enunciados producidos por esta última, sobreentendiéndose las escasas intervenciones de su interlocutora. En una réplica le advierte "no bromees, tú sabes que no soy una jinetera, esto es casualidad" (42). La ironía aparece cuando la mujer adopta el discurso del extranjero, ensalzando la condición única de Cuba y defendiendo el discurso conmemorativo del asalto al Cuartel Moncada realizado anualmente por Fidel Castro.

Así mismo, en los cuentos de *Trilogía sucia de La Habana* de Pedro Juan Gutiérrez, algún personaje dedicado a la prostitución utiliza términos propios del habla de España, como "joder" o "paleto", fenómeno habitual en el medio de la prostitución cubana, pues sirve como marca de distinción.

Tras la legalización del dólar y su establecimiento como moneda con la que acceder a bienes de consumo inexistentes en el pobre mercado del peso cubano, la jinetera alcanzó un poder adquisitivo que pocos tenían. El negocio de esta prostitución *amateur* fue amparado por el

---

[19] Perteneciente al libro *Espuma*.

Régimen hasta que las ramificaciones que originó pusieron en cuestión la estructura social y política de Cuba. La intensidad del fenómeno se ha sentido en la narrativa cubana de tal manera que el tema aparece tanto en los Novísimos como en el resto de narradores precedentes en activo. Incluso el escritor español Javier Marías hace desfilar por su novela *Corazón tan blanco* (1993) a un "turipepe" y a una jinetera.

Uno de los primeros textos que abordaron el problema y se convirtió en un referente habitual fue "El caso Sandra" de Luis Manuel García. Este escritor, perteneciente al grupo de los Nuevos, fue orientador de algunos Novísimos en el taller literario de la Casa de la Cultura del municipio habanero de Playa. En este caso se utiliza la técnica del reportaje, afín al texto testimonial que luego primaría en los relatos de los Novísimos. La diferencia entre los textos de las diferentes promociones sigue siendo el diferente ángulo de mira que adoptan los Novísimos, carente del didactismo y carácter ejemplificador de otros cuentos, como los de Miguel Barnet, Miguel Mejides y Marilyn Bobes, entre otros (Franzbach, 1999).

En "Merchy" de Raúl Aguiar, el narrador nos presenta, a través del discurso indirecto libre, una escena sexual en la habitación de un hotel. Mientras suena de fondo Neill Diamond, se narran simultáneamente el acto sexual y las imágenes que ocupan la mente de la protagonista. Ésta, una joven jinetera, se obliga a imaginar recuerdos agradables de su infancia para poder acceder a los deseos del cliente. El final del acto sexual y el pago por los servicios contienen el momento de fuerza del cuento, que es su final también. En él el narrador expresa la liberación que la mujer experimenta cuando finaliza su trabajo y acto seguido se produce un cambio narrativo al discurso inmediato, lo que acerca al lector al punto de vista de la mujer.

> –¿Cuánto es?
> Merchy lo mira y baja los ojos.
> –Treinta y cinco.
> –¿Cuánto?
> Merchy alza la cabeza y sonríe.
> –Treinta y cinco.
> El otro se encoge de hombros y rebusca en los bolsillos del pantalón, cuenta los billetes y los deja caer sobre la cama.
> –Toma. Que los disfrutes.

Ella cierra los ojos para no ver la espalda que se aleja en dirección a la puerta[20].

Lejos de esta presentación dramática, con el humor y la ironía como ingredientes básicos, Francisco García González presenta en "En la Aurora" una de las más sutiles aproximaciones al tema, cuestionando toda la retórica del gobierno revolucionario cubano con respecto al tema de la prostitución. En la misma línea humorística, Eduardo del Llano, a través de Nicanor, el *alter ego* que protagoniza muchos de los relatos de *Cabeza de ratón*, recrea una estampa satírica en la que están involucrados diversos personajes, representativos de tipos sociales. El cuento lleva el título de "Joint Venture"[21] y en él, dos hombres de negocios cubanos intentan llegar a un beneficioso acuerdo comercial con un empresario español. La cita para la resolución de los términos del contrato tiene lugar en un restaurante al que el español acude acompañado por una jinetera. Ésta, caracterizada por el habla vulgar habanera, se niega a compartir a "su gallego" y boicotea sagazmente el proyecto de los desesperados y frustrados negociantes.

Una inversión paródica del tema la encontramos en el cuento "Wunderbar" de Jesús Vega, en el que los extranjeros se convierten en el objetivo de la crítica. En el cuento varias turistas alemanas humillan a un desentendido cubano que se ve arrastrado por su supuesto exotismo. Se cuestiona aquí la imagen tópica y superficial que se tiene en el extranjero del cubano, fruto en muchos casos de la incomprensión de códigos culturales y del significado del régimen político de Cuba en el panorama internacional. Tópicos y esquemas simplificadores que los extranjeros utilizan en su interacción con los cubanos, minimizando su identidad personal y asumiendo su tendencia a la diversión, la promiscuidad y el desenfreno sexual. En la misma línea está "La causa que refresca" de José Miguel Sánchez, posiblemente uno de los mejores textos del autor. Éste presenta en segunda persona narrativa el discurso de un jinetero dirigido a la mujer europea o norteamericana que llega a

---

[20] Fábula de ángeles, Salvador Redonet y Francisco López Sacha eds., La Habana, Letras Cubanas, 1994, p. 102.
[21] Término de la economía norteamericana que designa la asociación de dos entidades para realizar una inversión.

Cuba con los ideales tradicionales de la izquierda occidental. Cargado de ironía, el relato posee una notable composición rítmica y un acertado uso del lenguaje y la sintaxis, sin recurrir a realizaciones particulares del castellano de Cuba.

El crecimiento de la prostitución derivó en negocios particulares múltiples y, en su mayor parte, clandestinos. Casas de comidas y de citas, pero también proxenetas, traficantes de drogas y mafias obligaron al gobierno a poner en marcha una operación que atenuara la visibilidad de la prostitución que estaba menoscabando la moral del bastión del socialismo. El operativo se denominó "Lacra" y tuvo lugar en octubre de 1998, momento al partir del cual la prostitución ha tendido a concentrarse en lugares especializados.

El fotógrafo Manuel Piña, que habitualmente imprime una fuerte huella social en sus obras, se aproximó al tema de la prostitución en uno de los montajes que integraron la serie "Manipulaciones, verdades y otras ilusiones" (1995). Además se trataban aspectos como el de la memoria histórica o las manipulaciones del poder, por otra parte recurrente en los trabajos del artista. El mencionado montaje se componía de tres imágenes en disposición vertical que mostraban una estructura de caja china o muñeca rusa. Partiendo de una estampa de aires románticos en la que se aprecia una mano acariciando unas flores, se pasaba a una segunda imagen en la que esa mano formaba parte de una mujer que en el malecón habanero intentaba detener un coche (imagen típica de las prostitutas habaneras). La última imagen muestra un panel publicitario, muy utilizados por el régimen cubano con fines propagandísticos, que incluye la imagen anterior con la inscripción "Revivir la historia".

OTROS TEMAS: LA VIOLENCIA, EL ÉXODO

Si bien nos hemos ocupado hasta aquí de los temas que más interés han concentrado en las obras de los Novísimos, muchos son los que nos quedarían por tratar debido a su multiplicidad reivindicativa. En determinados casos los Novísimos se vieron impelidos a tratar aspectos sociales puntuales que presentaban gran complejidad y trascendencia política, como la intervención militar internacional o el éxodo marítimo. En el primer caso, como ya se dijo al hablar del grupo "Seis del ochenta", se trazaban ciertas líneas de continuidad con la narrativa de la violencia que dominó la cuentística cubana en la década de los setenta, lo que tiene que ver con el patronazgo e influencia de Eduardo Heras León sobre ciertos autores. Las obras de Ángel Santiesteban, de Alberto Garrido o de Amir Valle "son inconcebibles sin los modelos narrativos de *Los pasos en la hierba* y *La guerra tuvo seis nombres* de Eduardo Heras" (Redonet, 1995: 113). Si el propósito de aquellos narradores de la violencia era el de construir un relato épico que formara parte del acontecer histórico revolucionario, el de éstos es el de rebajar aquel ideario anterior y desplazar el contenido semántico del término "épico". Se aprecia ahora una perspectiva intimista del conflicto, en el que los héroes no tratan de resolver cuestiones de política internacional relacionadas con los grandes relatos ideológicos, sino que deben esforzarse por solventar cuestiones inmediatas y de prosaica cotidianeidad.

El volumen de relatos *Sueño de un día de verano* de Ángel Santiesteban, premiado por la Unión Nacional de Escritores y Artistas de Cuba en 1995, está íntegramente dedicado a la participación de los soldados cubanos en la guerra civil angoleña. En los relatos que se centran en el acontecer bélico predomina la reflexión sobre aspectos humanos olvidados en el discurso anterior. Temas como la venganza, el miedo, la traición a la causa y a uno mismo, lo irreconciliable entre la supervivencia y las actitudes altruistas o los meros sentimientos contribuyen a relegar la visión idealizada del soldado cubano para acercarse más a los hombres que sufrieron la crudeza de la guerra. Una novedad de esta narrativa es afrontar el conflicto desde el punto de vista de las consecuencias, especialmente desde los efectos que tuvieron en las familias cubanas las pérdidas humanas. "Sur Latitud 13", inserto en esta colección, ha sido uno de los más frecuentes en las ediciones panorámicas sobre el cuento cubano de los noventa. A modo de testimonio, el narrador se sitúa como testigo con punto de vista limitado desde el que el lector se acerca al personaje sobre el que gira el relato, al tiempo que observa los sentimientos encontrados que las acciones de éste tienen sobre el narrador. Todos los personajes son soldados en acción en la selva angoleña, con la particularidad de que uno de ellos atrae el rechazo del resto por su condición de músico. Su comportamiento se revela como una forma de mantener su integridad e identidad personales, para lo cual establece una relación exclusiva con su violín y no participa del sentimiento corporativo del resto de los soldados. La sensibilidad artística resulta contraproducente en este medio y sirve para cuestionar las nociones de heroicidad y compromiso ético, claves fundamentales del discurso ideológico del sistema revolucionario.

Existen otras perspectivas y tratamientos que se superpusieron a la de los integrantes del grupo de Heras León al abordar los conflictos bélicos. Estos autores, a pesar de haber deshecho numerosos tópicos de la narrativa de la violencia fundada en los sesenta, no dejaron de abordar el tema con la misma seriedad. Diversos autores se han acercado al tema con una mirada irónica, desacralizadora y, en ciertos aspectos, más catártica que la anterior. En *Juegos permitidos* de Francisco García González encontramos diversos minicuentos que se acercan al tema desde la parodia y la ironía. "El mundo reporta I" presenta el formato típico de una noticia periodística transmitida desde una zona en conflicto y parodia el lenguaje épico que ha utilizado la prensa cubana en este tipo de textos. La burla reside en que el cuento refiere la toma del Paraíso donde "nuestras Fuerzas Armadas avanzaron victoriosas hasta el lugar del mítico y pernicioso Árbol" y allí, con la información suministrada por Eva, capturaron y fusilaron ejemplarmente a Adán, la Serpiente y los ángeles. La violencia sirve, conforme el ideario de las luchas intervencionistas, para deshacer el curso de la historia de la humanidad, en este caso desde los orígenes bíblicos. Conforme a la costumbre revolucionaria "se acordó, además, levantar donde estaba el Árbol, un monumento conmemorativo a los héroes caídos en combate por suprimir el adefesio de un país de delicias perpetuas" (45-46). La alegoría bíblica y el uso del lenguaje propio del discurso militar revolucionario le sirven a García González para cuestionar la verdad de una Cuba libre de pecado y promisoria de la que inicialmente habló la Revolución.

En el terreno pictórico y artístico son también repetidas las alusiones a la violencia y a los conflictos bélicos. Al igual que en algunos de los cuentos antes mencionados, la recuperación de la memoria histórica reciente desde una dimensión humana e íntima es la propuesta que viene desarrollando Carlos Garaicoa desde 1997. En la instalación que el artista llevó a Gijón en 1998 se representaba el desierto angoleño como vía para honrar a los desaparecidos y para cuestionar el silencio que se fraguó oficialmente en torno al tema. Su obra es tanto un homenaje como una reivindicación para que el gobierno cubano entone un definitivo *mea culpa* y una explicación racional de las verdaderas razones que sostuvieron el internacionalismo bélico. La obra de este artista presenta un especial interés por la guerra en su dimensión más amplia a través de símbolos como las ruinas. En su producción abundan imágenes pictóricas, dibujadas o fotografiadas, de edificios ruinosos de la ciudad de La Habana.

La obra de José Bedia, uno de los artistas de mayor reconocimiento internacional, nace de su reflexión sobre el legado religioso africano en Cuba, específicamente de la práctica de origen congo "Palo Monte". No obstante, de manera indirecta, sus alusiones a Ngola, de donde procede la práctica, abren líneas que se proyectan de manera crítica sobre la intervención bélica, y sobre la capacidad de intervención del africano y del afro-cubano en su propio destino.

Otro de los temas más habituales en los años noventa fue el del éxodo marítimo incontrolado y precario. Si los artistas plásticos han representado el fenómeno de la salida en balsas reiteradamente, la cuentística lo ha acogido más como ambiente que como tema. Con un tratamiento alegórico del éxodo se presentan dos micro-relatos del

Lámina 15. José Bedia, "Canción del inmigrante" (1993).

volúmen *Mariposas nocturnas* de Ernesto Santana que bien pudieran ilustrarse con algunas de las obras pictóricas de Sandra Ramos. En "Historia de naúfragos", asistimos al sueño de un hombre perdido en el mar que acaba por transfigurarse en isla a la que acaban llegando sus compañeros de navío, quienes le dan por muerto. Al intentar comunicarse con ellos para hacerles saber que sigue vivo, los hombres caen al agua y perecen. Una vez más, se nos presenta la imagen del hombre como una isla que, en su intento de autoenunciación, expulsa de su seno a sus habitantes. Subyace en la imagen la relación entre Cuba y sus "compañeros" y, al tiempo, habitantes, que son repetidamente rechazados por los movimientos políticos que sacuden el país e imposibilitan el diálogo y la comunicación en su seno.

Santana vuelve sobre el tema de la incomunicación aplicada al contexto insular en uno de los textos más breves del volumen,

La isla.

Hubo en un tiempo una isla habitada por los hijos de la noche y por los hijos del día. Y unos consumaban su vigilia en el sueño de los otros. (29)

El dramatismo suele ser la tónica dominante en los cuentos que hablan de los balseros debido al duro impacto que el fenómeno ha tenido sobre la sociedad cubana. En el cuento fragmentario de Daniel Díaz Mantilla "Las palmeras domésticas", una de las piezas que lo integran narra la marcha ilegal hacia el norte de un joven. Éste encarna la ruptura del discurso en sí mismo, pues al despedirse de su pareja y de su país, y enfrentar el incierto futuro, siente la falta de coherencia del destino que él mismo se está forjando.

En términos generales, las alusiones y metáforas referentes a la travesía, a las dos orillas, a la imposibilidad de romper el doble aislamiento de la isla y a todos los aspectos relacionados con la fuga o la huida a través del mar hasta Miami, pasan a formar parte activa tanto del discurso coloquial como del artístico. Por citar un ejemplo que ilustra este aspecto, el relato de Rolando Sánchez Mejías "Cuerpos rotos", centrado en la reflexión sobre la vacuidad del ser humano y su irremediable falta de centro y unidad, termina con un diálogo que utiliza el símil del éxodo marítimo para referirse a la propia condición humana.

–¿Qué estás haciendo?
–Un puente.
–¿Es importante?
–Une una orilla con otra. Debe serlo.
    Manuel pensó: "Sí, el salto, la buena o la mala suerte, la otra *orilla*. Vaya."[22]

El pintor Tomás Esson denunciaba el coste de vidas que el éxodo marítimo ha supuesto al relacionarlo con la construcción nacional cuando en 1989, una de sus obras presentaba una bandera cubana hecha de trozos de carne. Manuel Piña elaboró entre 1992 y 1994 una serie fotográfica que con el título "Aguas baldías" se aproximaba al tema con sutil dramatismo [lámina 16].

Alexis Leyva "Kcho" ha construido su poética pictórica en torno al tema de la fuga y la emigración. Sus instalaciones y artefactos exhiben botes, balsas y embarcaderos, a veces a escala natural, hechos con materiales al efecto o con objetos encontrados en las costas cubanas que se

Lámina 16. Manuel Piña, "Aguas badías" (1994).

[22] *Escrituras*, La Habana, Letras Cubanas, 1994, p. 20.

proponen como objetos metaforizados. El destino de estas barcas es tan impreciso como el de los propios cubanos que abandonan su país. La visión de sus instalaciones es una transposición de muchos lugares de Cuba, arrasados por el paso del mar y del tiempo, con restos de un continuo naufragio.

Entre la ironía y el dolor se movía su instalación "Lo mejor del verano", que se presentó en la muestra colectiva "Cocido y crudo". Realizada entre 1993 y 1994, momento crítico de la salida de embarcaciones desde las costas de Cuba, exhibía botes, balsas, remos, así como restos de naufragios y travesías clandestinas. En la sexta bienal de La Habana, celebrada en 1997, de nuevo presenta una instalación, "En mi pensamiento", que gira sobre el tema de la emigración marítima. En España, en el año 2000, el Palacio de Cristal de El Retiro madrileño albergó una exposición monográfica bajo el título "La columna infinita", que aludía, entre otras cosas, tanto a la verticalidad de las obras expuestas (frente al soporte horizontal tradicional) como al gran número de víctimas que se ha cobrado la emigración en balsas. Las torres de elementos superpuestos, botellas, maletas, barcas y fragmentos diversos, reflexionan sobre el precio que el hombre paga por escapar de la insularidad.

Lámina 17. Alexis Leyva, Kcho, Sin título (1994-1999).

Lámina 18. Alexis Leyva, Kcho, "Para olvidar" (2000).

A manera de cierre

Hasta aquí se ha tratado de presentar una selección de aquellos conflictos presentados en obras literarias y plásticas que transformaron significativamente el campo cultural, político y social de Cuba. Si bien no se ha cubierto con detalle todo el panorama literario ni artístico, esperamos no obstante haber despejado los principales aspectos que explican los vínculos y las coincidencias existentes en dos maneras de obrar que suelen ser apreciadas autónomamente. Nuestra meta primordial ha sido la de indicar y distinguir el singular peso que ha tenido social e históricamente el foro de discusión civil que los creadores cubanos abrieron en sus obras en las últimas décadas del siglo XX. Los beneficios de la intensidad y riqueza creativa de la etapa que aquí hemos considerado son hoy perceptibles en el campo cultural de dentro y de fuera de Cuba. En el escenario del arte latinoamericano contemporáneo destacan especialmente los artistas cubanos de la generación de los Novísimos, así como en el panorama literario en lengua española algunos de los escritores se encuentran entre las figuras más relevantes y promisorias. Analizar el papel que estos autores representan en el territorio de la diáspora cubana sería parte de otro estudio, pues es indudable que su presencia ha dado un nuevo giro a la calidad y a la articulación de las relaciones entre los exiliados y los residentes en la isla. Gracias a la experiencia y visión del mundo de estos autores, el diálogo entre quienes permanecen dentro de Cuba y quienes decidieron salir es hoy fluido. Sin lugar a dudas la textura de la Diáspora se ha enriquecido exponencialmente con su llegada, rearticulando en gran medida el campo intelectual y cultural cubano. Al cierre de la edición de este libro, Cuba vuelve a ser noticia internacional por la inminencia de un cambio en su devenir político que esperemos abra una nueva y positiva etapa de su historia. En el resultado, logros y consecución de esa aguardada transición pesarán sin duda los acontecimientos culturales aquí tratados, que hoy hacen entrever la posibilidad de un futuro democrático y conciliatorio en Cuba, dirigido y articulado por los propios cubanos desde la experiencia de los años revolucionarios y del exilio. Que así sea.

Lámina 19. Esterio Segura, "Espacio ocupado por un sueño" (1999).

Bibliografía

ANTOLOGÍAS DE CUENTO

Letras cubanas 9. 1988. Ed. Arturo Arango.

Cuentos cubanos contemporáneos. 1989. Ed. Madeline Cámara. Xalapa: U. Veracruzana.

*Los muchachos se divierten.*1989. Ed. Senel Paz. La Habana: Abril.

El submarino amarillo. 1993. Ed. Leonardo Padura. México: Coyoacán.

*Los últimos serán los primeros.*1993. Ed. Salvador Redonet. La Habana: Letras Cubanas.

Fábula de ángeles. 1994. Eds. Salvador Redonet y Francisco López Sacha. La Habana: Letras Cubanas.

Dorado mundo y otros cuentos. 1994. Ed. Arturo Arango. México: Unión.

Anuario de narrativa. 1994. La Habana: Unión.

Doce nudos en el pañuelo. Jóvenes cuentistas cubanos. 1995.Ed. Salvador Redonet.. Mérida (Venezuela): Mucuglifo.

Der Morgen ist die letzte Flucht. 1995. Berlin: Diá.

La baia delle gocce notturne. Racconti erotici cubani. 1995. Ed. Danilo Manera. Lecce: Besa.

A labbra nude. Racconti dall'ultima Cuba. 1995. Ed. Danilo Manera. Milán: Feltrinelli.

Retratos nuevos. 1995. Ed. Juan R. de la Portilla. Pinar del Río: Hermanos Loynaz.

El ánfora del diablo. Novísimos cuentistas cubanos. 1996. Ed. Salvador Redonet. Veracruz: Instituto veracruzano de cultura.

Nuevos cuentistas cubanos I-II. 1996. La Habana: Letras Cubanas.

La isla contada. 1996. Ed. Francisco López Sacha. Donostia: Gakoa.

Cuentos desde La Habana. 1996. Ed. Omar F. Mauri. Alicante: Aguaclara.

Estatuas de sal. Cuentistas cubanas contemporáneas. 1996. La Habana: Unión.

Rumba senza palme né carezze. 1996. Ed. Danilo Manera. Lecce: Besa.

Antología del cuento latinoamericano del siglo XXI. Las horas y las hordas. 1997. Ed. Julio Ortega. México: Siglo XXI.

Cuentos habaneros. 1997. México: Selector.

Poco antes del 2000. Jóvenes cuentistas cubanos en las puertas del nuevo siglo. 1997. Ed. Alberto Garrandés. La Habana: Letras Cubanas.

El cuerpo inmortal. 20 cuentos eróticos cubanos. 1997. Ed. Alberto Garrandés. La Habana: Letras Cubanas.

Toda esa gente solitaria. Cuentos cubanos sobre el SIDA. 1997. Eds. L.Zayón y José R. Fajardo. Madrid: La Palma.

The voice of the turttle. An anthology of cuban stories. 1997. Londres: Quartet Books.

Vedi Cuba e poi muori. 1997. Ed. Danilo Manera. Milán: Feltrinelli.

Para el siglo que viene: (Post)novísimos narradores cubanos. 1999. Ed. Salvador Redonet. Zaragoza: Prensas Universitarias.

Aire de luz. Cuentos cubanos del siglo XX. Ed. Alberto Agrandes. La Habana: Letras Cubanas.

Líneas aéreas. 1999. Ed. Eduardo Becerra. Madrid: Lengua de Trapo.

El ojo de la noche. Nuevas cuentistas cubanas. 1999. Ed. Amir Valle. La Habana: Letras Cubanas.

Islas en el sol. 1999. Eds. Francisco López Sacha y José R. Lantigua. Santo Domingo: Comisión Permanente de la Feria del Libro.

Cuba y Puerto Rico son. 1999. Ed. Francisco López Sacha. La Habana: Memoria-Centro Cultural Pablo de la Torriente Brau.

Nuevos narradores cubanos. 2000. Ed. Michi Strausfeld. Madrid: Siruela.

Junge Erzähler aus Kuba. 2000. Frankfurt: Suhrkamp.

Irreverente eros. 2001. Ed. Pedro Pérez Rivero. La Habana: José Martí.

Des nouvelles de Cuba. 2001. Paris: Metalié.

Palabra de sombra difícil. 2001. La Habana: Letras Cubanas.

VOLÚMENES DE CUENTO DE AUTOR

ABREU, ARMANDO. 1992. *Ciertas tersuras del odre.* Pinar del Río: Hermanos Loynaz.

———— 1997. *Cara y cruz.* La Habana: Letras Cubanas.

AGUIAR, RAÚL. 1995. *La hora fantasma de cada cual.* La Habana: Unión.

———— 1996. *Daleth.* La Habana: Extramuros.

———— 1996. *Mata.* La Habana: Letras Cubanas.

———— et. al. 1988. *El Establo, Revista Literaria Juvenil* 1-2. La Habana.

ÁGUILA DE BORGES, RAFAEL. 1997. *Último viaje con Adriana.* La Habana: Letras Cubanas.

AGUILAR, ALEJANDRO. 1997. *Paisaje de arcilla.* La Habana: Letras Cubanas

———— 2000. *Figuras tendidas.* Las Tunas: Sanlope.

ARRIETA, RICARDO y RONALDO MENÉNDEZ. 1997. *Alguien se va lamiendo todo.* La Habana: Unión.

ARZOLA, JORGE LUIS. 1994. *Prisionero en el círculo del horizonte.* La Habana: Letras Cubanas.

———— 2000.*La bandada infinita.* La Habana: Letras Cubanas.

BERMÚDEZ, VLADIMIR. 1997. *El perdón o la agonía de la vida.* La Habana: Letras Cubanas.

CABALLERO, ATILIO. 1991. *Las canciones recuerdan lo mismo.* La Habana: Letras Cubanas.

———— 1996. *El azar y la cuerda.* La Habana, Letras Cubanas.

———— 2000. *Tarántula.* La Habana: Cemí.

CABRERA ENRÍQUEZ, CARLOS. 1996. *Con zarpas de terciopelo.* La Habana: Letras Cubanas.

CEVEDO SOSA, SERGIO. 1989. *La noche de un día difícil.* La Habana: Unión.

———— 1996. *Anglística.* Medellín: Politécnico Colombiano Jaime Isaza Cadavid.

CURBELO, JESÚS. 1995. *Cuentos para adúlteros.* Buenos Aires: Movimiento Chau Bloqueo.

———— 1999. *Diario de un poeta recién cazado.* Santiago de Cuba: Oriente.

DÍAZ MANTILLA, DANIEL. 1996. *Las palmeras domésticas.* La Habana: Abril.

———— 1997. *en.trance.* La Habana: Abril.

DÍAZ PIMIENTA, ALEXIS. 1994. *Los visitantes del sábado.* La Habana: Letras Cubanas.

DOMINGO, JORGE. 1996. *Diacronía y otros sucesos.* La Habana: Letras Cubanas.

ESTÉVEZ, ABILIO. 1998. *El horizonte y otros regresos.* Barcelona: Tusquets.

FERNÁNDEZ DE JUAN, ADELAIDA. 1994. *Dolly y otros cuentos africanos.* La Habana: Letras Cubanas.

———— 1998. *Oh vida.* La Habana: Unión.

FERNÁNDEZ ERA, JORGE. 1994. *Obra inconclusa.* La Habana: José Martí.

FERNÁNDEZ PINTADO, MYLENE. 1999. *Anhedonia.* La Habana: Unión.

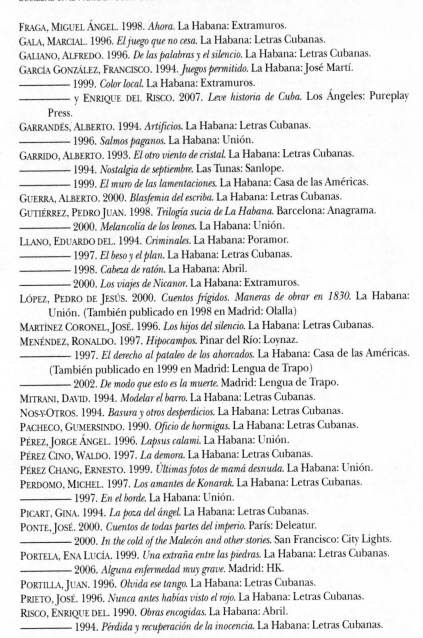

FRAGA, MIGUEL ÁNGEL. 1998. *Ahora*. La Habana: Extramuros.

GALA, MARCIAL. 1996. *El juego que no cesa*. La Habana: Letras Cubanas.

GALIANO, ALFREDO. 1996. *De las palabras y el silencio*. La Habana: Letras Cubanas.

GARCÍA GONZÁLEZ, FRANCISCO. 1994. *Juegos permitido*. La Habana: José Martí.

——— 1999. *Color local*. La Habana: Extramuros.

——— y ENRIQUE DEL RISCO. 2007. *Leve historia de Cuba*. Los Ángeles: Pureplay Press.

GARRANDÉS, ALBERTO. 1994. *Artificios*. La Habana: Letras Cubanas.

——— 1996. *Salmos paganos*. La Habana: Unión.

GARRIDO, ALBERTO. 1993. *El otro viento de cristal*. La Habana: Letras Cubanas.

——— 1994. *Nostalgia de septiembre*. Las Tunas: Sanlope.

——— 1999. *El muro de las lamentaciones*. La Habana: Casa de las Américas.

GUERRA, ALBERTO. 2000. *Blasfemia del escriba*. La Habana: Letras Cubanas.

GUTIÉRREZ, PEDRO JUAN. 1998. *Trilogía sucia de La Habana*. Barcelona: Anagrama.

——— 2000. *Melancolía de los leones*. La Habana: Unión.

LLANO, EDUARDO DEL. 1994. *Criminales*. La Habana: Poramor.

——— 1997. *El beso y el plan*. La Habana: Letras Cubanas.

——— 1998. *Cabeza de ratón*. La Habana: Abril.

——— 2000. *Los viajes de Nicanor*. La Habana: Extramuros.

LÓPEZ, PEDRO DE JESÚS. 2000. *Cuentos frígidos. Maneras de obrar en 1830*. La Habana: Unión. (También publicado en 1998 en Madrid: Olalla)

MARTÍNEZ CORONEL, JOSÉ. 1996. *Los hijos del silencio*. La Habana: Letras Cubanas.

MENÉNDEZ, RONALDO. 1997. *Hipocampos*. Pinar del Río: Loynaz.

——— 1997. *El derecho al pataleo de los ahorcados*. La Habana: Casa de las Américas. (También publicado en 1999 en Madrid: Lengua de Trapo)

——— 2002. *De modo que esto es la muerte*. Madrid: Lengua de Trapo.

MITRANI, DAVID. 1994. *Modelar el barro*. La Habana: Letras Cubanas.

NOS-Y-OTROS. 1994. *Basura y otros desperdicios*. La Habana: Letras Cubanas.

PACHECO, GUMERSINDO. 1990. *Oficio de hormigas*. La Habana: Letras Cubanas.

PÉREZ, JORGE ÁNGEL. 1996. *Lapsus calami*. La Habana: Unión.

PÉREZ CINO, WALDO. 1997. *La demora*. La Habana: Letras Cubanas.

PÉREZ CHANG, ERNESTO. 1999. *Últimas fotos de mamá desnuda*. La Habana: Unión.

PERDOMO, MICHEL. 1997. *Los amantes de Konarak*. La Habana: Letras Cubanas.

——— 1997. *En el borde*. La Habana: Unión.

PICART, GINA. 1994. *La poza del ángel*. La Habana: Letras Cubanas.

PONTE, JOSÉ. 2000. *Cuentos de todas partes del imperio*. París: Deleatur.

——— 2000. *In the cold of the Malecón and other stories*. San Francisco: City Lights.

PORTELA, ENA LUCÍA. 1999. *Una extraña entre las piedras*. La Habana: Letras Cubanas.

——— 2006. *Alguna enfermedad muy grave*. Madrid: HK.

PORTILLA, JUAN. 1996. *Olvida ese tango*. La Habana: Letras Cubanas.

PRIETO, JOSÉ. 1996. *Nunca antes habías visto el rojo*. La Habana: Letras Cubanas.

RISCO, ENRIQUE DEL. 1990. *Obras encogidas*. La Habana: Abril.

——— 1994. *Pérdida y recuperación de la inocencia*. La Habana: Letras Cubanas.

——— 1998. *Lágrimas de cocodrilo*. Cádiz: Fundación Municipal de Cultura.

RIVERÓN, ROGELIO. 1996. *Subir al cielo y otras equivocaciones*. La Habana: Letras Cubanas.

——— 2000. *Buenos días Zenón*. La Habana: Unión.

RODRÍGUEZ, JORGE FÉLIX. 1994. *La inevitable oscuridad de las calles*. La Habana: José Martí.

RODRÍGUEZ SALVADOR, ANTONIO. *Hágase un solitario*. 1997. Santa Clara: Capiro.

SÁNCHEZ, JOSÉ MIGUEL. 1989. *Timshel*. La Habana: Unión.

——— 1997. *W*. La Habana: Letras Cubanas.

SÁNCHEZ MEJÍAS, ROLANDO. 1993. *La noche profunda del mundo*. La Habana: Letras Cubanas.

——— 1994. *Escrituras*. La Habana: Letras Cubanas.

——— 1994. *Derivas I*. La Habana: Letras Cubanas.

——— 2001. *Historias de Olmo*. Madrid: Siruela.

——— 2004. *Cuaderno de Feldafing*. Madrid: Siruela.

SANTANA, ERNESTO. 1993. *Nudos en el pañuelo*. La Habana: Poramor.

——— 1996. *Bestiario pánico*. La Habana: Abril.

——— 1999. *Mariposas nocturnas*. La Habana: Extramuros.

SANTIESTEBAN, ÁNGEL. 1998. *Sueño de un día de verano*. La Habana: Unión.

SUÁREZ, KARLA. 1999. *Espuma*. La Habana: Letras Cubanas.

——— 2000. *Carroza para actores*. Barcelona: Norma.

VALLE, AMIR. 1989. *Yo soy el malo*. La Habana: Letras Cubanas.

——— 2000. *Manuscritos del mar muerto*. La Habana: Letras Cubanas.

VEGA SEROVA, ANNA LIDIA. 1998. *Bad painting*. La Habana: Unión.

——— 1998. *Catálogo de mascotas*. La Habana: Letras cubanas.

——— 2001. *Limpiando ventanas y espejos*. La Habana: Unión.

CATÁLOGOS DE OBRAS PLÁSTICAS

I Bienal de La Habana. 1984. La Habana: Centro Wifredo Lam.

New Art from Cuba. 1985. New York,: SUNY.

II Bienal de La Habana. 1986. La Habana: Centro Wifredo Lam.

III Bienal de La Habana. 1989. La Habana: Centro Wifredo Lam.

IV Bienal de La Habana. 1991. La Habana: Letras Cubanas.

V Bienal de La Habana. 1994. Las Palmas: Centro Atlántico de Arte Moderno.

VI Bienal de La Habana. 1997. La Habana: Centro Wifredo Lam.

VII Bienal de La Habana. 2000. La Habana: Centro Wifredo Lam

Cuba: a view from inside. 40 years of cuban life in the work and words of 20 photographers. 1985. New York: Center for Cuban Studies.

Contemporary Art from Havana: José Bedia, Magdalena Campos, Consuelo Castaneda, Tomás Esson, José Franco, Flavio Garciandia. 1989. London: Riverside Studios.

La Habana en Madrid. 1989. Madrid: Centro Cultural de la Villa.

No man is an Island: Young Cuban Art. 1990. Pori: Museo de Pori (Finlandia).

Cuba O.K. 1990. Düsseldorf: Städtische Künsthalle.

The nearest edge of the world: art and Cuba now. 1990. Brookline (MA): Polarities.

Discursos paralelos: arte joven cubano. 1993. Valencia: Universidad Politécnica.

Cuba: la isla posible..., 1995. Barcelona: Destino.

Mundo soñado: joven plástica cubana. 1996. Madrid: Casa de América.

Cuba siglo XX, modernidad y sincretismo. 1996. Las Palmas: Centro Atlántico de Arte Moderno.

I Salón de Arte Cubano Contemporáneo. 1996. La Habana: Centro de Desarrollo de las Artes Visuales.

Historia de un viaje: artistas cubanos en Europa. 1997. Valencia: Consorcio de Museos.

La isla futura. Arte joven cubano. 1998. Gijón: Ayuntamiento de Gijón.

A imaxe e o labirinto: 10 artistas cubanos dos'90. 1998. Vigo: Consello da Cultura Galega.

Crossings. 1998. Ottawa: National Gallery of Canada.

Entre cielo y suelo. 1999. Cuenca: Fundación Antonio Pérez.

La dirección de la mirada: arte cubano contemporáneo. 1999. Zürich: Voldemeer.

Arte cubano, más allá del papel. 1999: Madrid: Turner.

Contemporary Art from Cuba. 1999. New York: Delano Greenidge.

Art Cuba. 2001. New York: Abrams.

Mapas abiertos. Fotografía Latinoamericana 1991-2002. 2003. Barcelona: Lunwerg

Afrocuba. Works on paper 1968-2003. 2005. Seattle: University of Washington Press.

OBRAS DE REFERENCIA CITADAS

ACKERMAN, HOLLY. 1997. "An analysis and demographic profile of Cuban balseros, 1991-1994". *Cuban Studies* 26.

ADAM, BARRY. 1989. "The State, Public Policy and AIDS discourse". *Contemporary Crises* 13:1-14.

ADLER, HEIDRUN y ADRIAN HESS eds. 1999. *De las dos orillas: teatro cubano.* Madrid: Vervuert Iberoamericana.

AGUIAR, RAÚL. 1998. "Tratar de ganar la batalla". *El Caimán Barbudo* 289:10.

ÁGUILA BORGES, RAFAEL DE. 1999. "¿Pathos o marketing?". *El Caimán Barbudo* 292.

AGUILERA, ALEJANDRO, ALEXIS SOMOZA y FÉLIX SUAZO. 1989. "La fuerza tiene un castillo". *El Caimán Barbudo* 258: 24-25.

ARANGO, ARTURO. 1988. "Los violentos y los exquisitos". *Letras cubanas* 9: 6-14.

ARAÚJO, NARA. 1997. "La escritura del cambio: Novísimas narradoras cubanas". *Medio siglo de literatura latinoamericana, 1945-1995*, 213-220. México: Universidad Autónoma Metropolitana.

ARGULLOL, RAFAEL. 1995. "Escritura transversal: literatura y pensamiento". *Boletín informativo de la Fundación Juan March* 253: 33-38.

AZCUY, HUGO. 1994. "Estado y sociedad civil en Cuba". *Temas* 4: 105-110.

BAJTÍN, MIJAIL. 1986. *Speech genres and other late essays.* Austin: University of Texas Press.

BAJTÍN, MIJAIL. 1988. *La cultura popular en la Edad Media y el Renacimiento.* Madrid: Alianza.

BAJTÍN, MIJAIL. 1989. *Teoría y estética de la novela.* Madrid: Taurus.

BAJTÍN, MIJAIL. 1993. *Toward a Philosophy of the Act.* Austin: University of Texas Press.

BATESON, DON, D. JACKSON, JAY HALEY y JOHN WEAKLAND. 1993a. "Hacia una teoría de la esquizofrenia". *Más allá del doble vínculo*, Milton Berger comp., 21-43. Barcelona: Paidós.

BATESON, GREGORY, 1993b. "El nacimiento de una matriz o doble vínculo y epistemología". *Más allá del doble vínculo*, Milton Berger comp., 53-77. Barcelona: Paidós.

BEJEL, EMILIO. 1994. "*Fresa y chocolate* o la salida de la guarida", *Casa de las Américas*, 196: 10-22.

BEJEL, EMILIO. 2001a. "*Cuentos frígidos*: la búsqueda de una voz elidida", *La Habana Elegante* 15.

BEJEL, EMILIO. 2001b. *Gay Cuban Nation*. Chicago: University of Chicago Press.

BELTRÁN ALMERÍA, LUIS. 1997. "El cuento como género literario". *Teoría e interpretación del cuento*, Meter Frölicher y Georges Günter eds., 17-32. Berna: Peter Lang.

BENEMELIS, JUAN. 1988. *Castro, subversión y terrorismo en África*. Madrid: Ediciones San Martín.

BEVERLEY, JOHN y HUGO ACHUGAR eds. 1992. *La voz del otro: testimonio, subalternidad y verdad narrativa*. *Revista de crítica literaria latinoamericana* 36.

BEVERLEY, JOHN. 1993. *Against Literature*. Minneapolis: University of Minessota Press.

BEVERLEY, JOHN. 1999. *Subalternity and representativity*. Durham: Duke University Press.

BOLIVAR, NATALIA y ROMÁN OROZCO. 1998. *Cuba Santa*. Madrid: El País-Aguilar.

BORGES-TRIANA, JOAQUÍN. 1998. "Nos-y-otros, los de entonces ya no son los mismos". *El Caimán Barbudo* 285: 28-29.

BOUDET, ROSA ILEANA, 1999. "El teatro cubano hacia otro paradigma". *Conjunto* 94: 54-64.

BOURDIEU, PIERRE. 1988a. *La distinción. Criterios y bases sociales del gusto*. Madrid: Taurus.

BOURDIEU, PIERRE. 1988b. *Cosas dichas*. Buenos Aires : Gedisa.

BOURDIEU, PIERRE. 1992a. *Language & Symbolic power*. Cambridge: Polity Press.

BOURDIEU, PIERRE. 1992b. *El sentido práctico*. Madrid: Taurus.

BOURDIEU, PIERRE. 1995. *Las reglas del arte. Génesis y estructura del campo literario*. Barcelona: Anagrama.

BOURDIEU, PIERRE dir. 1999. *La miseria del mundo*. Madrid: Akal.

BOURDIEU, PIERRE. 2000. "Disposición estética y competencia artística". *Lápiz* 66: 35-43.

BRIOSO, JORGE. 1994. "Todo en Cuba pasó en los ochenta". *Osamayor* 8:83-95.

BUTLER, JUDITH. 1993. *Bodies that matter: on the discursive limits of "sex"*. Nueva York: Routledge.

BUTLER, JUDITH. 1999. "Sujetos de sexo/género/deseo". *Feminismos literarios*, Neus Carbonell y Meri Torras comps., 26-76. Madrid: Arco Libros.

CABADO, PABLO. 1999. *Laminares. Cuba años 90*. Hong Kong: Everbest.

CABALLERO, RUFO. 1994a. "Los recuerdos del cómplice". *Revolución y Cultura* 3:10-18.

CABALLERO, RUFO. 1994b. *Aquí el problema es no morirse*. La Habana: Abril.

CAMNITZER, LUIS. 2003. *New Art of Cuba*. Austin: University of Texas Press.

CAMPA, ROMÁN DE LA. 1999. "La latinidad de Norteamérica". *Paisajes después del Muro*, Iván de la Nuez ed., 222-241. Barcelona: Península.

CAMPUZANO, LUISA. 1996. "La voz de Casandra". *La Gaceta de Cuba* 4: 52-53.

CAPOTE, ZAIDA. 1996. "La doncella o el minotauro". *Temas* 25: 122-125.

CARMONA, ANTONIO. 2004. *State resistance to globalization in Cuba*. London: Pluto Press.

CARRANZA, JULIO. 1992. "Cuba: los retos de la economía". *Cuadernos de Nuestra América* 19: 131-158.

CARRANZA, JULIO, L. URDANETA y P. MONREAL. 1995. *Cuba. La reestructuración de la economía. Una propuesta para el debate.* La Habana: Editorial Ciencias Sociales.

CASAL, LOURDES. 1971. *El caso Padilla: Literatura y Revolución en Cuba.* Miami: Universal.

CASAL, LOURDES. 1981. *Palabras juntan revolución.* La Habana: Casa de las Américas.

CASTRO RUZ, FIDEL. 1976. *Obras escogidas, 1953-1962,* vol.1. Madrid: Fundamentos.

CASTRO RUZ, FIDEL. 1980. "Palabras a los intelectuales". *Revolución Letras, Arte,* 7-33. La Habana: Letras Cubanas.

CASTRO, ANTÓN. 1998. "La isla estética como microutopía del presente". *La isla futura. Arte joven cubano,* 37-47. Gijón: Ayuntamiento de Gijón.

CHÍO, EVANGELINa. 1983. "Aficionados: presente y perspectivas". *Revolución y Cultura* 128.

COHEN, JEAN L. y ANDREW ARATO. 1990. *Civil society and political theory.* Cambridge: MIT Press.

COLOMER, JOSEP. 1998. "Salida, voz y hostilidad en Cuba". *América Latina Hoy* 18: 5-17.

COTMAN, JOHN WALTON. 1993. *The Gorrión tree. Cuba and the Grenada Revolution.* New York: Peter Lang.

CRAIB, IAN. 1998. *Experiencing identity.* Londres: SAGE.

DELEUZE, GILLES y FELIX GUATTARI. 1978. *Kafka por una literatura menor.* México: Era.

DÍAZ MARTÍNEZ, MANUEL. 1997. "El caso Padilla: crimen o castigo". *Encuentro de la Cultura Cubana* 4-5:.88-96.

DOMÍNGUEZ, JORGE. 1978. *Cuba. Order and Revolution.* Cambridge: Harvard University Press.

DOMÍNGUEZ, JORGE. 1989. *To make a world safe for Revolution. Cuba's foreign policy.* Cambridge (MA): Harvard University Press.

DOMÍNGUEZ, JORGE. 1997. "¿Comienza una transición hacia el autoritarismo en Cuba?". *Encuentro de la Cultura Cubana* 6-7:7-23.

ECO, HUMBERTO. 1977. *Apocalittici e integrati.* Milán: Tascabili Bompiani.

EHRENBERG, JOHN. 1999. *Civil society: the critical history of an idea.* New York: NY University Press.

EPPLE, JUAN ARMANDO. 2001. "Novela fragmentada y micro-relato". http://www.fl.ulaval.ca/cuentos/epple.htm

FERNÁNDEZ, ANTONIO ELIGIO. 1987. "Trece que fueron uno". *Revolución y Cultura* 7: 49-55.

FERNÁNDEZ, ANTONIO ELIGIO. 1997. "Del grabado en el mejor sentido". *La Gaceta de Cuba* 3: 55-57.

FERNÁNDEZ, DAMIÁN. 2000. *Cuba and the politics of passion.* Austin: University of Texas Press.

FOSTER, DAVID. 1994. *Latin American writers on gay and lesbian themes: a bio-critical sourcebook.* Londres: Greenwood.

FOSTER, HAL. 1996. *The return of the real: the avant-garde at the end of the century.* Cambridge (MA): MIT Press.

FOUCAULT, MICHEL. 1970. *La arqueología del saber.* México: Siglo XXI.

FOUCAULT, MICHEL. 1980. *Historia de la sexualidad.* Madrid: Siglo XXI.

FOUCAULT, MICHEL. 1994. "Qu'est-ce que les Lumières?". *Dits et écrits,* vol.IV (1980-1988), 679-688. Paris : Gallimard.

FOWLER, VÍCTOR. 1998a. "Erotismo y revolución". *Rupturas y homenajes*, 156-184. La Habana: Unión.

FOWLER, VÍCTOR. 1998b. *La maldición. Una historia del placer como conquista*. La Habana: Letras Cubanas.

FOWLER, VÍCTOR. 1999. "Para días de menos entusiasmo". *La Gaceta de Cuba* 6: 34-38.

FRANCO, JEAN, 1996. *Marcar diferencias, cruzar fronteras*. Santiago de Chile: Cuarto Propio.

FRANZBACH, MARTIN. 1999. "Un tema nuevo en la literatura cubana: el jineterismo", *Dulce et decorum est philologiam colere*, S. Grosse y A. Schönberger eds., 233-237, Berlin: Domus.

FRIEDMAN, DOUGLAS. 2005. "Civil society in contemporary Cuba: U.S. policy and the Cuban reality". En *Foreign policy toward Cuba. Isolation or engagement?*, Michele Zebich-knos y Heather N. Nicol eds., 225-242. Lanham (MD): Lexington Books.

FUENTES, NORBERTO. 1999. *Dulces guerreros cubanos*. Barcelona: Seix Barral.

FUSCO, COCO. 1998. "Hustling for Dollars: Jineterismo in Cuba", en Kamala Kempadoo y Jo Doezema eds., *Global sex workers: rights, resistance, and redefinition*, New York: Routledge.

GARCÍA, MIGUEL. 1997. *Historia de un viaje: artistas cubanos en Europa*. Valencia: Consorcio de Museos de la Comunidad Valenciana.

GARCÍA CANCLINI, NÉSTOR. 1982. "Elogio latinoamericano del kitsch". *Artes visuales e identidad en América Latina*. México: Foro de Arte Contemporáneo.

GARCÍA CANCLINI, NÉSTOR. 1994. "La historia del arte Latinoamericano. Hacia un debate no evolucionista". *Catálogo de la V Bienal de La Habana*, 37-41. Las Palmas: Centro Atlántico de Arte Moderno.

GENETTE, GÉRARD. 1989. *Palimpsestos. La literatura en segundo grado*. Madrid: Taurus.

GÓMEZ TRIANA, JAIME. 2003. *Víctor Varela: teatro y obstáculo*. La Habana: Tarot.

GOTT, RICHARD. 2004. *Cuba. A new history*. New Haven: Yale University Press.

GOYTISOLO, JUAN. 1988. *En los reinos de Taifa*. Barcelona: Seix Barral.

GUNN, GILLIAN. 1995. "Cuba's NGOs: Government Puppets or Seeds of Civil Society?". *Cuban briefing paper series* 7: 3-12

GUTIÉRREZ, PEDRO JUAN. 2000. "Viejas tesis sobre el cuento". *Encuentro de la Cultura Cubana* 18: 211-214.

HABERMAS, JÜRGEN. 1989. *Jürgen Habermas on society and politics*. Boston: Beacon Press.

HABERMAS, JÜRGEN. 1990. "Modernity versus Postmodernity". *Postmodern perspectives, Issues in Contemporary Art*. Howard Rissati ed., 53-64. New Jersey: Prentice-Hall.

HALL, STUART. 1996. "Introduction: Who needs identity? *Questions of cultural identity*. Londres, SAGE.

HANEY, PATRICK y WALT VANDERBUSH. 2005. *The Cuban embargo. The domestics politics of an American foreign policy*. Pittsburgh: University of Pittsburgh Press.

HART, ARMANDO. 1986. *Cambiar las reglas del juego*. La Habana: Letras Cubanas.

HERNÁNDEZ, ORLANDO. 1996. "Marta María Pérez Bravo y el juego de las estatuas". *Marta María Pérez Bravo* (catálogo fotográfico). Monterrey: Galería Ramis Barquet.

HERNÁNDEZ, RAFAEL, "La sociedad civil y sus alrededores", *La Gaceta de Cuba*, nº 1, La Habana, 1994, pp. 28-31.

HERNÁNDEZ, RAFAEL, *Mirar a Cuba: ensayos sobre cultura y sociedad civil,* La Habana, Letras Cubanas, 1999.

HIRSCHMAN, ALBERT. 1970. *Exit, Voice and Loyalty. Responses to decline in Firms, Organizations and States.* Cambridge (MA): Harvard University Press.

HODGE, DERRICK. 2001. "Colonization of the Cuban Body: the growth of male sex work in Havana". *Informe NACLA sobre América* 34, 5: 20-29.

HOFFMANN, BERT. 1998. "La reforma que no fue". *Encuentro de la Cultura Cubana* 10: 71-83.

JIMÉNEZ LEAL, ORLANDO. 1997. *8-A: la realidad invisible.* Miami: Universal.

KOCH, DOLORES. 1986. *El micro-relato en México: Julio Torri, Juan José Arreola y Augusto Monterroso,* New Cork: CUNY (Tesis Doctoral).

KOCH, DOLORES. 2000a. "Diez recursos para lograr la brevedad en el micro-relato". *El cuento en red* 2.

KOCH, DOLORES. 2000b. "Retorno al micro-relato: algunas consideraciones". *El cuento en red* 1.

LAGMANOVICH, DAVID. 1997. "Sobre el microrrelato en laArgentina". *El relato breve en las letras hispánicas actuales. Foro Hispánico* 11: 11-22.

LAGO, DAVID. 2000. "XX aniversario del éxodo masivo Embajada de Perú-Puerto de El Mariel". *Revista Hispano Cubana* 7: 79-124.

LAHIT-BIGNOTT, NEREIDA. 1993. "Bárbaro Miyares". *Discuros paralelos: arte joven cubano.* Valencia: U. Politécnica.

LARZARELE, ALEX. 1988. *The 1980 Cuban boatlif.* Washington D.F.: National Defense University Press.

LEAL, RINE. 1989. "¿Qué pasa con el actual teatro cubano? *Primer acto* 228: 12-15.

LEOGRANDE, WILLIAM. 1980. *Cuba's policy in Africa, 1959-1980.* Berkeley: University of California Press.

LINZ, JUAN. 1975. "Totalitarian and Authoritarian Regimes". *Handbook of Political Science,* vol.3, Nelson Polsby y Fred Greenstein eds., 175-411. Reading (MA): Addison Wesley Press.

LIPARD, LUCY. 1984. *Art and ideology.* New York: New Museum of Contemporary Art.

LLAMAS, RICARDO. 1998. *Teoría torcida. Prejuicios y discursos en torno a "la homosexualidad".* Madrid: Siglo XXI.

LLANO, EDUARDO DEL. 1993. "En silencio han querido que sea". *Aquelarre* 1: 2-3.

LLANO, EDUARDO DEL. 1998. "Cada escritor es un lobo solitario". *El Caimán Barbudo* 289: 9.

LÓPEZ, JUAN. 2001. "The nontransition in Cuba: problems and prospects for change". *Cuban Communism,* 10th edition, Irving Louis Horowitz y Jaime Suchlicki eds., 787-821. New Brunswick y London: Transaction Publishers.

LYOTARD, JEAN-FRANÇOIS. 1989. *La condición postmoderna.* Madrid: Cátedra.

MARTÍN SEVILLANO, ANA BELÉN. 1999. "De Virgilio Piñera a Reinaldo Arenas: homosexualidad o disidencia". *Revista Hispano Cubana* 4: 77-86.

MARTÍN SEVILLANO, ANA BELÉN. 2004. *Cuento Cubano Actual 1985-2000.* Madrid: Servicio de Publicaciones de la Universidad Complutense. (Tesis Doctoral)

MARTIN, RANDY. 1990. "The Revolution after the Revolution". *The Drama Review* 1: 38-59.

MENÉNDEZ, RONALDO. 1995a. *De la plástica al cuento: interdefinición para una teoría de los campos.* Universidad de La Habana (tesis de licenciatura inédita).

MENÉNDEZ, RONALDO. 1995b. "De Novísimos y crítica, hipótesis y tipologías. El pez que se alimenta de su cola". *La Gaceta de Cuba* 3: 53-55.

MENÉNDEZ, RONALDO. 1998a. "El lector manso, ese eslabón". *El Caimán Barbudo* 284: 8.

MENÉNDEZ, RONALDO. 1998b. "El pataleo de la retórica". *El Caimán Barbudo* 289: 9.

MENÉNDEZ, RONALDO. 2000. "El gallo de Diógenes. Reflexiones en torno a lo testimonial en los novísimos narradores cubanos". *Encuentro de la Cultura Cubana* 18: 215-222.

MENTON, SEYMOUR. 1975. *Prose Fiction of the Cuban Revolution.* Austin: University of Texas Press.

MESA-LAGO, CARMELO. 1994. *Breve Historia económica de la Cuba socialista. Políticas, resultados y perspectivas.* Madrid: Alianza.

MESA-LAGO, CARMELO. 1997. "¿Recuperación económica en Cuba?". *Encuentro de la Cultura Cubana* 3: 54-65.

MESA-LAGO, CARMELO. 1998. "Hacia una evaluación de la actuación económica y social en la transición cubana de los años noventa". *América Latina Hoy* 18:19-34.

MESA-LAGO, CARMELO. 2004a. "Economic and ideological cycles in Cuba. Policy and performance, 1959-2002". *The Cuban economy*, Archibald R. M. Ritter ed., 25-41. Pittsburgh: University of Pittsburgh Press.

MESA-LAGO, CARMELO y JORGE F. PÉREZ LÓPEZ. 2004b. *Cuba's aborted reform. Socioeconomic effects, internacional comparisons, and transition policies.* Gainesville: University Press of Florida.

MOLINA, JUAN ANTONIO. 1996. "Historia del gesto detenido". *Cuba siglo XX, modernidad y sincretismo*, 267-280. Las Palmas: Centro Atlántico de Arte Moderno.

MONTERO, REINALDO. 1995. "Interregno y realengo de la cuentinovela". *La Gaceta de Cuba* 3: 56-57.

MOSQUERA, GERARDO. 1991. "Los hijos de Guillermo Tell". *Plural* 238: 60-63.

MOSQUERA, GERARDO. 1995. "Reporte del hombre en La Habana". *Cuba: la Isla posible...*, 131-141. Barcelona: Destino.

MOSQUERA, GERARDO. 1996. "Hacia una posmodernidad "otra": África en el arte cubano". *Cuba siglo XX, modernidad y sincretismo*, 229-251. Las Palmas: Centro Atlántico de Arte Moderno.

MUÑOZ, MARIO. 1997. "El cuento mexicano de tema homosexual". *Revista de Literatura Mexicana Contemporánea* 6: 16-22.

NUEZ, IVÁN DE LA. 1991. "El espejo cubano de la posmodernidad. Más acá del bien y del mal". *Plural* 238: 30-35.

NUEZ, IVÁN DE LA. 1998. "Arte cubano e intemperies globales". *La isla futura. Arte joven cubano*, 23-36. Gijón: Ayuntamiento de Gijón.

OLVERA, ALBERTO J. coord. 2003. *Sociedad civil, esfera pública y democratización en América Latina: México.* México DF: Universidad Veracruzana-Fondo de Cultura Económica.

OVERHOFF, CAROLIN. 1999. *Vom Tötem alter Wunden. Neue Tendenzen in der Dramatik Lateinamerikas seit mitte der 80er Jahre.* Berlin: Vistas.

OVIEDO, JOSÉ MIGUEL. 1992. *Literatura de la opinión.* Barcelona: Planeta.

PADILLA, HEBERTO. 1989. *La mala memoria,* Barcelona: Plaza & Janés.

PADURA, LEONARDO. 1993. "Dos vueltas de péndulo: el cuento cubano contemporáneo". *El submarino amarillo, (Cuento cubano 1966-1991),* 7-19. México: UNAM.

POUPEAU, FRANCK. 2000. "Rehaznos for domination, Bourdieu versus Habermas". *Reading Bourdieu on Society and Culture,* Bridget Fowler ed., 69-87. Oxford: Blackwell.

PÉREZ OLIVARES, JOSÉ. 1993. "De la palabra al color, del color a la palabra. Vínculo entre la poesía y las artes plásticas en Cuba". *La Gaceta de Cuba* 4: 40-45.

PÉREZ, LOUIS. 2003. *Cuba and the United States: Ties of singular intimacy.* Athens: University of Georgia Press.

PÉREZ, LOUIS. 2006. *Cuba between reform and revolution.* New York: Oxford University Press.

PÉREZ-STABLE, Marifeli. 1993. *The Cuban Revolution. Origins, course and legacy.* New York: Oxford University Press.

PÉREZ-STABLE, Marifeli. 1996. "Misión cumplida: de cómo el gobierno cubano liquidó la amenaza de diálogo". *Encuentro de la Cultura Cubana* 1: 25-31.

PÉREZ-STABLE, Marifeli. "La crisis invisible: la política cubana en la década de los 90". *Encuentro de la Cultura Cubana* 8-9: 56-65.

PINO-SANTOS, CARINA. 1996. "Carlos Estévez: la verdadera historia de la creación". *La Gaceta de Cuba* 1: 42-44.

PLEKHANOV, G. 1947. *In defence of materialism. The development of the monist view of History:* Londres: Lawrence & Wishart.

PLEKHANOV, G. 1953. *Art & Social Life.* Londres: Lawrence & Wishart.

REDONET, SALVADOR. 1988. "Tomar el cuento por asalto". *Letras cubanas* 9: 284-296.

REDONET, SALVADOR. 1993. "Para ser lo más breve posible". *Los últimos serán los primeros.* 5-31. La Habana: Letras Cubanas.

REDONET, SALVADOR. 1995. "Vivir del cuento (y otras herejías)". *Temas* 4: 112120.

REDONET, SALVADOR. 1999. "Bis repetita placent (Palimpsesto)". *Para el siglo que viene: (Post)novísimos narradores cubanos,* 9-23.Zaragoza: Prensas Universitarias.

REED, ROGER. 1991. *The Cultural Revolution in Cuba.* Ginebra: Latin American Round Table.

RISATTI, HOWARD ed. 1990. *Postmodern perspectives. Issues in Contemporary Art.* New Jersey: Prentice-Hall.

RISCO, ENRIQUE DEL. 2001. "El último exilio o nuevas posibilidades de lo cubano". Cádiz: *Con Cuba en la distancia. I Encuentro de Exilio y creación.*

RODRÍGUEZ CHÁVEZ, ERNESTO. 1997. *Emigración cubana actual.* La Habana: Ciencias Sociales.

ROJAS, RAFAEL. 1995. "La diferencia cubana". *Cuba: la isla posible..,* 34-41. Barcelona: Destino.

ROJAS, RAFAEL. 1997a. "Entre la revolución y la reforma". *Encuentro de la Cultura Cubana* 4-5: 122-136.

ROJAS, RAFAEL. 1997b. "Políticas invisibles". *Encuentro de la Cultura Cubana* 6-7: 24-35.

ROJAS, RAFAEL. 1998. *Isla sin fin. Contribución a la crítica del nacionalismo cubano.* Miami: Universal.

ROJAS, RAFAEL. 2003. "Cultura e ideología en el poscomunismo cubano". En *Cuba: sociedad, cultura y política en tiempos de globalización*, Mauricio de Miranda ed., 79-94. Bogotá: Pontifica Universidad Javeriana.

ROQUE, ADALBERTO. 1988. "Mirar y ver más allá". *El Caimán Barbudo* 248: 6.

ROJO, VIOLETA. 1996. *Breve manual para reconocer minicuentos*. Caracas: Equinoccio.

SÁNCHEZ MEJÍAS, ROLANDO. 1996a. "Carta abierta a los escritores cubanos". *Encuentro de la Cultura Cubana* 1: 90-92.

SÁNCHEZ MEJÍAS, ROLANDO. 1996b. "Contar con las palabras". *Encuentro de la Cultura Cubana* 1: 95-101.

SÁNCHEZ MEJÍAS, ROLANDO. 1997. "El proyecto Diáspora(s)". *Diáspora(s)* 1: 2.

SÁNCHEZ, JOSÉ MIGUEL. 1998. "Algunos vienen lamiendo a todos". *Unión* 31: 91-92.

SÁNCHEZ, OSVALDO. 1990a. "Children of utopia". *No man is an Island: Young Cuban Art*, 57-59. Pori: Museo de Pori.

SÁNCHEZ, OSVALDO. 1990b. "Sincretismo, postmodernismo y cultura de resistencia". *Cuba O.K.*, 18-26. Düsseldorf: Städtische Kunsthalle.

SÁNCHEZ, OSVALDO. 1992. "Utopía bajo el volcán. La vanguardia cubana en México". *Plural* 250: 43.

SÁNCHEZ, OSVALDO. 1995. "Los últimos modernos". *Cuba: la isla posible...*, 101-109. Barcelona: Destino.

SERRANO, PÍO. 1999. "Cuatro décadas de políticas culturales". *Revista Hispano Cubana* 4: 35-54.

SMITH, WAYNE. 1987. *The closest of enemies. A personal and diplomatic account of U.S.-Cuban Relations since 1957*. New York: Norton & Co.

SOLER CEDRÉ, GERARDO. 1997. "Pinos Nuevos en la balanza: ¿ser o no ser?". *La revista del libro cubano* 4: 20-23.

SONTAG, SUSAN. 1978. *Illness as metaphor*. Nueva York: Farrar, Straus and Giroux.

SONTAG, SUSAN. 1988. *AIDS and its metaphors*. Nueva Cork: Farrar, Straus and Giroux.

SPIVAK, GAYATRI CHAKRAVORTY. 1988. "Can the subaltern speak?". *Marxism and the interpretation of culture*, C. Nelson y L. Grossberg eds., 271-313. Londres: Macmillan.

SPIVAK, GAYATRI CHAKRAVORTY. 1999. "Los estudios subalternos: la deconstrucción de la historiografía". *Feminismos literarios*, Neus Carbonell y Meri Torras eds., 265-269. Madrid: Arco Libros.

TURNER, BRYAN. 1984. *The body and society*. Nueva York: Basil Blackwell Publisher.

V.V.A.A. 1984. *Diccionario de la Literatura Cubana*. La Habana: Letras Cubanas.

V.V.A.A. 1989. *La guerra de Angola*. La Habana: Editora Política.

V.V.A.A. 1989. *Causa 1/89. Fin de la conexión cubana*. La Habana: Editorial José Martí.

V.V.A.A. 1999. *Entre cielo y suelo*. Cuenca: Fundación Antonio Pérez.

V.V.A.A. 1999. *Arte cubano, más allá del papel*. Madrid: Turner.

V.V.A.A. 1999. *Cocido y crudo*. Madrid: Museo Nacional Centro de Arte Reina Sofía.

V.V.A.A. 2000. *Kcho: la columna infinita*. Madrid: Museo Nacional Centro de Arte Reina Sofía.

VALDÉS FIGUEROA, EUGENIO. 1999. "La dirección de la mirada". *La dirección de la mirada*, 26-54. Zürich: Voldemeer.

VALLE, AMIR. 2001 *Brevísimas demencias. Narrativa joven cubana de los 90.* La Habana: Extramuros.

VALLEJO, CATHARINA V. DE. 1992. *Elementos para una semiótica del cuento hispanoamericano del siglo XX.* Miami: Universal.

VARELA, VÍCTOR. 2001. *El texto imposible de representar.* Miami: Teatro Obstáculo.

VARELA, VÍCTOR. 2003. *El teatro obstáculo.* Miami: Teatro Obstáculo.

WATZLAWICK, PAUL, JANET BEAVIN y DON D. JACKSON. 1993. *Teoría de la comunicación humana.* Barcelona: Herder.

WATZLAWICK, PAUL y GIORGIO NARDOTE. 1999. *Terapia breve: filosofía y arte.* Barcelona: Herder.

WOOD, YOLANDA. 1990. "Marinello y el arte nuevo". *De la plástica cubana y caribeña,* 108-118. La Habana: Letras Cubanas.

YÁÑEZ, MIRTA. 1996. "Y entonces la mujer de Lot miró…". *Estatuas de sal,* 11-43. La Habana: Unión.

YÚDICE, GEORGE. 1992. "Testimonio y concientización". *Revista de crítica literaria latinoamericana* 36: 207-277.